JEAN-CHARLES HARVEY

Jean-Charles Harvey est né à la Malbaie le 10 novembre 1891. Après ses études chez les Jésuites et des cours de droit, il devient journaliste en 1915. La Patrie, La Presse, La Machine agricole, *le* Star, *accueillent ses articles. Rédacteur en chef du* Soleil *pendant sept ans, il est forcé de quitter après la publication de son roman* Les demi-civilisés, *dont le cardinal Villeneuve interdit la lecture « sous peine de faute grave ». Il fonde alors son journal,* Le Jour, *et publie plusieurs autres oeuvres littéraires qui n'ont pas cessé d'être lues et discutées. Jean-Charles Harvey est un précurseur de la révolution tranquille.*

SÉBASTIEN PIERRE

Un jeune homme, élevé par sa mère pour devenir un saint, se fait connaître comme un grand gangster; un chasseur, venu du Sud, sème la discorde chez un couple d'Amérindiens vivant jusque-là dans la paix et la solitude; une jeune femme atteinte de tuberculose s'accroche à la vie par le rêve; un vieil orignal est mis à mort par une horde de loups: voilà le sujet des histoires étonnantes que réunit *Sébastien Pierre.* Ce livre publié en 1935 n'avait pas été réédité. *Sébastien Pierre* est d'une autre époque; il appartient à une « autre » jeunesse mais il a quelque chose à dire, au-delà des générations, à celle d'aujourd'hui.

Sébastien Pierre

La collection Québec 10/10 *est publiée
sous la direction de Roch Carrier.*

Éditeur: Éditions internationales Alain Stanké

Illustration de la page couverture: Suzanne Brind'Amour

Gravures sur linoléum de Maurice Gaudreau

ISBN: 2-7604-0256-8
Dépôt légal: troisième trimestre 1985

Imprimé au Canada

Jean-Charles Harvey
Sébastien Pierre

Stanké nouvelles

PREMIÈRE PARTIE

A ma mère

Dès qu'elle fut certaine d'avoir conçu, Rosemonde consacra à Dieu la vie embryonnaire qui grandissait en elle. Durant les pénibles mois de sa grossesse, elle offrit ses souffrances au Ciel, afin que l'esprit du mal ne souillât jamais l'être fragile et cher qui tressaillait en son sein. "Seigneur, priait-elle, faites que cet enfant honore votre nom et console votre Église." Quand elle récitait ces mots de l'"Ave": "Jésus le fruit de vos entrailles est béni", son cœur battait délicieusement.

Les couches furent laborieuses. Se mordant les lèvres pour ne pas crier, Rosemonde, la face tournée vers le crucifix suspendu au mur, pensait: "Si le supplice de la croix fut plus douloureux que l'enfantement, ô mon Jésus, vous avez prodigieusement aimé les hommes... Vos tortures, votre sang, ont purifié le monde... Permettez à l'humble pécheresse que je suis de joindre ses tourments aux vôtres pour la sanctification du petit qui va naître."

Et Sébastien Pierre vit le jour.

Pendant les années nébuleuses qui précédè-
rent l'éveil de sa raison, il fut, comme tous les
marmots, tour à tour charmant, piaillard, souriant, capricieux, gentil, maussade, gourmand;
mais il se révéla précoce. Dès l'âge de cinq ans,
il se préoccupait des mystères religieux. L'idée
divine le hantait. Il posait à son père, René,
homme probe, des questions comme celle-ci:

— Avec quoi le bon Dieu nous a-t-il faits?

— Avec rien, mon fils.

— Avec rien? Mais alors...

— Eh! oui, avec rien. Il n'eut qu'à vouloir.
Il dit: "Que Sébastien soit!" Et Sébastien fut.

L'enfant rêvassait une longue heure, puis,
revenant vers René:

— Mais le bon Dieu, lui, qui l'a fait, et avec
quoi?

— Il n'a pas été fait, Lui.

— Il s'est fait tout seul?

— Pas même. Il n'a pas été fait. Il a toujours été. Il n'a jamais commencé. Il était avant
le commencement. On dit: Il est éternel.

Sébastien cherchait à comprendre; son imagination créait des chimères splendides autour
du problème infini.

A six ans, il assistait à la messe pour la première fois. Quel émerveillement! Ses yeux ne
s'ouvraient pas assez pour regarder le prêtre

chamarré d'or, solennel et rutilant, la flamme dansante des cierges, les robes rouges des enfants de choeur, la lumière épousant les couleurs vives du vitrail, l'éclat des dorures, les colonnes élancées vers la voûte, comme des jets puissants de prières humaines, les saints de plâtre, mains jointes, dans leur niche, les Jésus torturés du chemin de la croix. Toutes les images du monde surnaturel, dont sa mère lui parlait souvent, se confondaient, pour lui, avec cet impressionnant spectacle. Son ouïe se laissait charmer par le murmure des prières, bourdonnements d'invisibles abeilles, par la voix multiple, forte, suppliante, d'un vieil orgue, par les "Kyrie", les "Credo", les "Gloria" des chantres rustiques à voix de basse profonde. Même le froissement des grains de chapelets et le son des pièces d'argent, dans les sébiles, prenaient, à son oreille une signification mystique. Puis, c'était l'encens, le parfum répandu partout en fumée bleue, qui flattait son odorat et fixait en lui, par un autre sens, la douceur du culte.

Le lendemain, il réunit, chez lui, quelques camarades de son âge et organisa un service divin dans sa chambre à coucher transformée en église. Le long du mur, une large boîte, couverte d'une nappe blanche, servit d'autel. Un coffret renversé figura un tabernacle, dans lequel on plaça, en guise de calice, une coupe de cristal. Au-dessus, un grand tableau de la Vierge. De chaque côté, des chandeliers d'argent avec cierges allumés. Deux des invités formaient l'assemblée des fidèles; deux, les servants de messe; les autres, les chantres. Pour tout orgue, un harmonica de quinze sous. Sébastien officia. Une ancienne robe à brillants, qu'il avait tirée d'un placard, fut sa chasuble. " Dominus biscum" entonnait la voix du prêtre. Et les chantres de répondre: " Stu tuo!", en escamotant gentiment les syllabes latines. Les notes grêles de l'harmonica remplissaient les intermèdes.

Rosemonde surprit les enfants dans cette cérémonie. Elle en fut touchée aux larmes. Longuement, silencieusement, elle savoura sa joie. Puis, n'y tenant plus, elle s'élança vers Sébastien, le serra dans ses bras avec passion: " Mon petit prêtre! Mon petit prêtre chéri!" Les bambins suivaient des yeux les mouvements de cette femme douce et bonne, qu'ils aimaient. Elle avait le charme de la modestie, beauté un peu effacée, figure de missel aux lignes pures, coiffure blonde à bandeaux, regard bleu calme, nez droit comme une belle conscience et bouche aux lèvres minces, bouche mieux faite pour l'oraison que pour le baiser. Ses longues mains, légèrement veinées de bleu, en se joignant dans la prière, se détachaient, en forme de flambeau immobile, de son corsage noir, et devenaient

lumineuses à force d'être blanches. On sentait
qu'elle ne pensait qu'à un monde meilleur, où
elle vivait par le désir et l'exaltation mystiques.
Rien d'étonnant donc qu'elle fût transportée de
plaisir à la vue de son fils mimant les saints
mystères.

— Quand tu seras grand, dit-elle, tes épaules porteront une vraie chasuble, et tes mains,
un vrai calice. Et ta bouche dira des paroles qui
consoleront et guériront.

— Maman, s'écria-t-il, je voudrais mourir
martyr, dans les bois, comme le Père Brébeuf.

Rosemonde tressaillit. Mourir! Déjà il parlait de la mort, lui qui n'en savait que le nom.
Le spectre de la torture surgit dans son imagination: la chevelure scalpée, les ongles arra-
chés, les lambeaux de chair pendant d'une poitrine meurtrie, le collier de pierres rougies au
feu. Elle s'éloigna en murmurant: "Mon Dieu,
que votre volonté soit faite et non la mienne!"

A sept ans, Sébastien, s'amusant avec des
gamins, dans un bosquet de Saint-X, inventait
un nouveau jeu. "Vous êtes les Iroquois, dit-
il, et moi je suis le Père Brébeuf. Vous m'atta-
chez à un arbre, vous allumez un feu devant
moi, et vous dansez d'abord tout autour, pour
appeler les mauvais esprits". On le lia à un
bouleau et on commença la danse infernale devant un tas de fagots en flamme. On était en
temps de sécheresse. Les petits Iroquois, sau-

tillant et hurlant, ne remarquèrent pas, dans
l'ardeur du jeu, que le feu se communiquait
aux feuilles sèches et léchait le pied de l'arbre
auquel était attaché Sébastien. Les jambes nues
du jeune martyr grillaient déjà que la fête continuait de plus belle. Celui-ci pensa à Brébeuf:
"Pas un cri, pas un soupir!" Et il endura la
brûlure sans broncher. Tout à coup, l'écorce
du bouleau s'enflamma avec un pétillement sec.

— Au feu! Au feu! crièrent les enfants ter-
rifiés.

Toute la troupe, prise de panique, s'enfuit
vers le village.

Seul Sébastien n'ouvrit pas la bouche. Le
feu prenait à ses habits, il allait être tout em-
brasé, quand les cordes, brûlées, se rompirent.
Libéré, il se roula dans l'herbe, pour éteindre
la flamme qui lui rôtissait la peau. Son père,
René Pierre, mis en alerte, accourut. Il le trouva tordu de douleur.

Pendant des jours, l'enfant oscilla entre vie
et mort. Il allait garder de cette aventure des
cicatrices ineffaçables. Comme sa mère le gron-
dait en ces termes:

— Pourquoi n'as-tu pas crié en voyant le
feu gagner l'arbre?

— Il me semblait, répondit-il, que j'allais
mourir martyr pour vrai, et cette pensée que je

rejoindrais au ciel le Père Brébeuf me rendait brave.

Rosemonde nota cet événement dans un registre où étaient consignes les principaux souvenirs de la famille.

— Mon fils fera de grandes choses, pensat-elle.

*

*   *

Ecolier, Sébastien se passionna pour l'étude. Si vive était son intelligence, si intense son attention aux enseignements du maître, qu'il fallut le séparer de ses camarades pour ne pas le retarder. Il fit les années doubles. A neuf ans, il connaissait à fond les vérités révélées que contient le petit catéchisme. A cause de sa précocité, on l'admit à la première communion solennelle.

Affaibli par un jeûne préparatoire de trois jours, il parut à la table sainte pâle comme de la cire. Le corps et le sang de Jésus firent rayonner son visage d'une lumière intérieure qui rendit sa chair comme transparente. Il s'immobilisa à la balustrade du sanctuaire, abîmé dans une vision. Tous ses camarades regagnaient leur banc, que lui n'avait pas plus bougé qu'une statue. Il fallut le secouer pour le tirer de sa contemplation. Il s'éveilla en sursaut,

semblant ne plus savoir où il était. Les fidèles
se regardaient entre eux avec surprise.

De retour chez lui, il confia à sa mère:

— Après ma communion, des anges tout
blancs m'ont soulevé de terre et transporté sur
leurs ailes dans les hauteurs du firmament. Là,
j'ai vu les portes du ciel s'ouvrir, de larges portes à battants d'or, pleines de gros diamants et
de brillants de toute couleur. En dedans de ces
portes, une infinité d'ombres blanches traversaient les rayons du bon Dieu, qui brillait plus
que le soleil, qui jetait tant de lumière que je
ne pouvais l'envisager. J'allais entrer dans ce
clair paradis quand mille anges noirs, des démons terribles et forts, s'élancèrent vers moi.
Ils se battirent à coups d'ailes contre les anges
blancs et réussirent à s'emparer de moi, pour
me laisser tomber dans le vide. Je roulais au
milieu des étoiles, quand je me suis retrouvé
dans l'église.

Rosemonde, très émue, pria son fils de no-
ter, dans un carnet qu'elle lui présenta sur
l'heure, cette mémorable vision. C'est à partir
de ce moment que Sébastien écrivit régulièrement son journal. En lisant ces notes rédigées
au jour le jour, on assiste à l'ascension de sa
belle âme. On y voit le collégien affinant de plus
en plus sa vie spirituelle pour devenir cette œuvre d'art du christianisme qu'on appelle un

saint. Peu à peu, l'homme se dépouille de toute concupiscence, se dématérialise. Il se condamne à ne plus regarder des spectacles capables d'exalter sa sensibilité; il ne paraîtra plus devant la beauté féminine que les yeux baissés; il ne se laissera plus bercer par la musique de passion et d'amour; sa bouche ne cédera jamais à la joie du manger, du boire ou du baiser; il repoussera la douce tentation des parfums; ses bras n'enlaceront jamais un être charnel. Et sa pensée sera du pur cristal plongé dans la lumière divine.

Sébastien ne manquait pas de tempérament. Un observateur aurait discerné, en lui, l'homme au sang chaud, l'impressionnable, le vibrant. Les grands mystiques sont toujours ainsi. Mais il réagissait contre sa nature avec la surhumaine énergie des bilieux. Un jour, Jacques, son voisin de salle d'étude, au collège, avait dérobé à son camarade, Paul, une petite montre que celui-ci avait laissée dans son pupitre. Il y eut de hauts cris. Le petit voleur, serré de près, s'affola et profita d'un moment d'inattention de Sébastien pour lui glisser, dans une poche de son gilet, le produit de son larcin. Puis, s'étant éloigné, il s'écria:

—Je sais qui a volé.

—Qui est-il? dit Paul. Réponds au plus vite ou je te casse la gueule.

—Penses-tu que c'est moi, en vérité? Dis-le donc que c'est moi!

—Alors, nous allons te fouiller. Venez, les amis!

—Comme vous voudrez!

Paul se tourna vers Sébastien et lui dit:

—Tu vas le fouiller toi-même.

—Pourquoi l'humilier? dit Pierre. S'il avait pris la montre, il la rendrait sûrement de lui-même. N'est-ce pas, Jacques?

Celui-ci répondit en rougissant:

— Sûr que je la rendrais.

—Eh! bien, dit Paul, c'est moi qui vais le fouiller. Je ne prends pas comme parole d'Evangile... Cet hypocrite!...

Et il retourna en tous sens les poches de Jacques. Il n'y trouva rien.

— Alors, tu l'as cachée quelque part.

—Non. Mais je sais qui a volé. Je l'ai vu. Pourquoi me forces-tu à parler?

—Parle! Parle! dirent les autres collégiens.

Jacques se taisait. Toute la troupe s'avança vers lui comme pour le lyncher.

Pris de peur, il dit tout bas, à l'oreille de Paul:

—Fouille Sébastien Pierre!

—Pas possible! Mon meilleur ami, le modèle du collège. Tu mens!... Sébastien, viens ici... Jacques t'accuse.

—De quoi?

— Il prétend que c'est toi qui as pris la montre?

—Ah!

Il lança cette exclamation douloureusement, et se tut.

—Dis au moins que ce n'est pas vrai! supplia Paul.

Sébastien n'ouvrit pas la bouche.

—Vas-tu te laisser accuser sans rien dire?

—Fouillez-moi! murmura-t-il.

—Tu n'as pas voulu fouiller l'autre, tout à l'heure.

—Eh! bien, nous allons voir...

Lentement, Sébastien inspecta ses habits, et, comme il retournait la poche de son veston, la montre roula par terre.

Paul pâlit. Il ramassa l'objet et prononça d'une voix altérée:

—Toi, Sébastien! Je ne l'aurais jamais cru. Et il s'éloigna pour cacher sa peine.

Le lendemain, le directeur des élèves fit, à son petit monde, une sévère remontrance. "L'un de vous, dit-il, a commis une faute qui a fait scandale. Mon cœur en est bouleversé. Le coupable passait pour notre meilleur élève. Pour son travail, ses succès en classe, sa piété, sa conduite édifiante, nous le citions en exemple. Et voici qu'un inconcevable égarement dé-

truit en une heure une réputation de sainteté.
Je regrette d'avoir à relater un cas particulier
de ce genre; mais le coupable est tombé de trop
haut pour que je passe l'incident sous silence.
C'est la chute d'un ange ".

Sébastien, tête baissée, très pâle, écoutait.
Chacune de ces paroles était du plomb fondu
versé goutte à goutte dans son cœur. Jacques,
tout près de lui, rougissait.

Il y eut un moment de lourd silence. Puis,
le religieux, solennel, dit : "Sébastien, vous
allez demander pardon à vos camarades."

L'enfant se leva. Les lèvres blêmes, fré-
missantes :

— Au nom de Jésus et de la Vierge Marie,
pardonnez-moi !

Il éclata en sanglots.

Paul, le voyant ainsi, s'apitoya et vint lui
dire à l'oreille :

— Ne pleure pas ! Je regrette... N'y pense
plus. Tout sera oublié.

Mais les esprits malveillants allaient commencer leurs allusions et taquineries, en ré-
création, en classe, au réfectoire, partout. Pen-
sez donc : l'ange tombé !

Parmi les religieux, un saint prêtre, le R. P.
Carrier, connaissait l'âme très haute, la conscience délicate de Sébastien, qu'il guidait depuis trois ans comme directeur spirituel. Observateur et psychologue, il flaira l'imposture.

— Pas possible ! s'écria-t-il. Ou Sébastien est un saint ou — ce que je ne puis croire — un monstre d'hypocrisie.

Il se fit raconter les détails de l'incident. Réflexion faite, il fit venir Jacques et lui dit à brûle-pourpoint :

— Misérable ! C'est toi qui avait volé la montre de Paul !

L'apostrophe figea le coupable. Il souffrait lui-même de la tournure tragique de sa vilenie, et n'ayant plus la force de nier, il baissa la tête.

— Tu ne dis rien ? Eh ! bien, dès demain, devant les élèves, tu diras ce que tu as fait, comment tu as pris l'objet, comment tu l'as, pour échapper à la honte, mis dans les habits de Sébastien, comment tu as eu la lâcheté d'accuser ton camarade et de le laisser bafouer devant tout le monde.

Jacques promit tout. Il n'avait pas le choix. Il fallait réparer ou être chassé du collège.

Ce soir-là, avant de se coucher, Sébastien écrivit dans son carnet : "Dieu soit loué ! J'ai vaincu les démons de l'orgueil et de la colère. Je suis, maintenant, aux yeux de tous mes camarades, lâche, vil et fourbe. J'ai perdu l'estime et l'amitié que recherche toute vanité humaine. Je vous remercie, Seigneur ! Vous avez vu, Vous, combien mon sang bouillait d'indignation, quand Jacques m'a accusé, et Vous avez arrêté mon bras prêt à frapper d'instinct.

Et Vous m'avez donné le calme, Vous m'avez rendu maître de moi. Je voudrais embrasser Jacques, pour m'avoir permis de Vous donner une telle preuve d'amour ".

Le P. Carrier réunit un groupe d'élèves, y compris Sébastien, dans sa chambre, et leur annonça que Jacques avait à leur parler.

— C'est moi, balbutia celui-ci... C'est moi... qui a fait le coup...

Les mots ne passaient plus dans sa gorge serrée. L'aveu terrible avait à franchir un barrage d'orgueil.

— Eh! bien, de quel coup s'agit-il? demandèrent les camarades.

— C'était moi, le voleur.

Dans le silence qui suivit, il y avait de la stupeur, de l'indignation, de la menace et de la pitié. Tous les yeux se tournèrent vers Sébastien. Qu'allait-il dire? Qu'allait-il faire? Tout à coup, ses traits, ses yeux, s'animèrent d'une flamme surnaturelle. Et, s'élançant vers Jacques, il l'embrassa.

— Les anges du ciel, dit le Père Carrier, n'auraient pas fait plus.

Au cours de sa seizième année, Sébastien sentit les premières approches du démon de la luxure. Ce fut d'abord le lâche assaut durant

le sommeil. Il rêva qu'il avait pieds et mains
liés et qu'une femme impudique s'avançait en
souriant vers lui et venait se pencher sur son
visage. Il sentait son haleine parfumée. Et
comme les lèvres féminines se posaient sur les
siennes, il détourna vivement la face en s'é-
criant :

— Jésus ! Marie ! Sauvez-moi !

Il s'éveilla au son de sa propre voix. Si troublé fut-il dans son corps et dans son âme qu'il
n'en dormit pas du reste de la nuit. Le matin,
bouleversé de cette vision impure, il alla se je-
ter au pied de son directeur et implora sa protection.

— Tu as déjà dompté en toi, dit celui-ci,
l'orgueil, la colère, la paresse, la gourmandise,
l'envie.... Tu vaincras l'esprit impur. Mais
c'est ici que la vraie lutte commence. Tous les
saints ont connu le tourment charnel. Saint Jé-
rôme, dans sa solitude, devait se rouler sur des
épines et des pierres pointues pour chasser par
la douleur le plaisir qui le sollicitait. L'imagination de l'ermite Antoine était assaillie de mille visions mondaines... Le cilice, le jeûne, les
pointes de fer, les macérations, ne chassaient
pas toujours l'horrible cauchemar... A force de
prière, le prodige divin s'accomplissait. Le démon s'éloignait pour un temps, et l'âme des
saints baignait dans les délices de la victoire
divine.

La tentation ne quittait jamais Sébastien. A toute heure du jour et de la nuit, même pendant ses plus hautes méditations sur les mystères sacrés, des images lascives obnubilaient ses actes de foi. Il serrait alors son crucifix si fort sur sa poitrine qu'il en portait des stigmates. Parfois, il s'enfonçait les ongles dans la chair jusqu'au sang. La pensée charnelle, tunique de Nessus, le brûlait, et, pour s'en défendre, il se rafraîchissait dans un bain de prière et de pénitence.

Le Père Carrier, à qui il racontait ces luttes avec lui-même, lui disait :

— La tentation à laquelle on résiste, comme tu le fais, c'est le feu qui purifie. La perfection chrétienne est à ce prix.

Un événement tragique apaisa Sébastien pour un temps. Ses parents l'avaient mandé chez lui, un jour de septembre, pour une fête de famille. Au dîner de circonstance, il voisinait, à table, avec une jeune cousine dont la beauté pouvait faire chavirer bien des têtes. Intelligente, spirituelle et gaie, elle racontait mille potins à son timide cousin, dont elle cherchait à délier la langue :

— Sébastien, encore des anchois?... Sébastien, encore des champignons?.... Sébastien encore ceci... encore cela? Ce n'est pas du poison, tu sais.

Elle le troublait étrangement cette fille de vingt ans, qui sentait bon et dont la voix chantait. Il se défendait d'elle par des " Ave ".

Rentré au pensionnat, l'adolescent chassa difficilement de son esprit la charmante image de la veille. Ce n'était plus sa chair, qui était menacée, mais son âme. Un sentiment nouveau, plus subtil, plus dangereux, entrait en lui. Le sortilège de la beauté agissait sur son imagination ardente. Il était à cet âge où l'on a assez d'innocence et de candeur pour revêtir toute femme aimée du prestige de la grâce et de la pureté. Ce n'était pas une tentation, se figurait-il, qui l'assaillait, mais une joie douce, chaude, inoffensive. C'est pourquoi il éprouvait tant de peine à se défaire de la pensée qui envahissait tout son être. Il avait beau prier, se mortifier, jeûner, l'image s'incrustait, se photogravait dans toutes les molécules de son cerveau. Il s'en ouvrit au Père Carrier. Cette fois, le directeur de conscience s'alarma :

— On a souvent représenté le démon, dit-il, comme un serpent qui rampe sous les fleurs. Il s'attaque à ta sensibilité sous la forme la plus séduisante, la beauté. L'assaut que tu subis aujourd'hui est plus à craindre que les précédents. Il faut à tout prix que cette obsession sorte de toi : elle empoisonnerait ta vie... Le charme du corps ! Comme il faut peu de choses pour le détruire ! L'âge, le moindre accident... la mort...

Le soir même, avant de se coucher, Sébastien lut un sublime commentaire de ces mots liturgiques: "Souviens-toi, ô homme, que tu n'es que poussière et que tu retourneras en poussière". La pensée de l'universelle dissolution des choses le terrifia et l'apaisa.

Puis une horrible nouvelle: sa cousine est morte d'un accident d'automobile. On a rapporté chez ses parents le corps sanglant de la jeune fille. L'adolescent va voir ce triste paquet de meurtrissures. Un œil est sorti de l'orbite, le visage abîmé d'estafilades, le crâne ouvert. Le Père Carrier avait raison: comme c'est fragile une beauté charnelle!

Sébastien écrit dans son carnet ces notes d'une âme de seize ans: "Il a suffi d'un instant pour détruire l'être le plus beau du monde. Et des hommes troquent leur éternité pour ce bien sans lendemain. La seule vue de ma cousine me faisait, hier, battre le cœur; aujourd'hui, elle me fait horreur. Il en est ainsi de toute matière. Seul l'esprit demeure. Vous seul, ô mon Dieu, possédez la beauté incorruptible!"

A dix-neuf ans, Sébastien Pierre allait terminer sa philosophie. C'était maintenant un grand jeune homme brun, décharné, blême. Les combats incessants qu'il livrait à la chair et au monde, ainsi que l'étude de la métaphysique. altéraient sa santé. Il s'appliquait, se concentrait tellement, que sa maigre réserve de forces physiques s'épuisait. La vie spirituelle brûle souvent les corps qu'elle anime. Un Louis de Gonzague et un Stanislas de Kostka ont succombé à la tâche.

De vagues inquiétudes le tiraillaient. Des tristesses sans cause, des doutes, des découragements. Le mois de juin mettait partout des fleurs et des chants. On avait recommandé à Sébastien des promenades fréquentes dans le jardin du collège. Sa santé l'exigeait. Il déambulait lentement entre deux rangées d'arbres. Les feuilles, d'un vert tendre, étaient diaphanes sous le soleil. Des abeilles bourdonnaient autour des pommiers fleuris qui embaumaient l'air. Des grives sautaient dans l'herbe en criant leur joie. Partout, la vie s'épanouissait en couplets d'amour. C'était la saison du pollen et des nids. Une sensualité immense imprégnait toutes choses, baignait les corolles, les humus à l'âcre senteur, les vieux chaumes en train de rajeunissement, les germes languissant mollement dans la chaude et créatrice décomposition, les insectes gavés de sucs et de parfums... Au loin, dans la rue, les premières robes de l'été passaient, légères et ondulantes, sur les corps souples.

Un violent désir de vivre s'emparait alors

du pâle jeune homme. Vivre! vivre! vivre! lui criaient tous les êtres. Il reculait de crainte devant cet appel de la matière vivante, lui qui n'avait jamais conçu que la vie très pure, très haute et très belle, au sommet de son âme, bien au-dessus du monde sensible qui s'agitait frénétiquement, se transformait, chantait. Sa vue, son ouïe, son odorat recevaient les effluves subtiles de l'impure et séduisante nature. Ses mains elles-mêmes lui donnaient la sensation de toucher, en recevant la caresse du vent, des êtres invisibles et doux, qui lui traversaient la peau et se mêlaient à son sang. Par moments, il aurait voulu se laisser pénétrer jusqu'aux moelles, par cette radiothermie de la matière; puis il se ressaisissait et désirait s'enfuir de tout, s'enfuir de lui-même. "Que ne puis-je, pensait-il, me réfugier sous le manteau de Dieu"? Et il ajoutait: "Je voudrais vivre au temps où les moines allaient chercher le dégoût de la nature viciée dans le lèchement des plaies de lépreux".

Un de ces soirs-là, une fièvre prit Sébastien. Il ne se plaignit pas, car il était dur au mal. Le lendemain, n'en pouvant plus, il demanda un peu de repos. L'infirmier constata que son pouls battait très vite et manda le médecin, qui, après douze heures d'observation, diagnostiqua la typhoïde.

Le jeune homme passa quinze jours dans l'alternance du délire et de la lucidité. D'horri-

bles visions le tourmentaient parfois. Il voyait
entrer dans sa chambre un démon énorme, dra-
pé dans d'immenses et souples ailes de chauve-
souris. Le malin le regardait avec un rictus
abominable: "Ha! Ha! Ha!" Et, venant tout
près du lit, il s'emparait du malade, le soulevait
et le faisait tournoyer éperdument au bout de
ses ailes, à la hauteur du plafond. Sébastien
poussait un cri. L'infirmier lui apportait un cal-
mant.

A la convalescence, le médecin, instruit par
le Père Carrier de la vie austère du jeune homme, parla aux parents de Sébastien:

— Votre fils aura besoin de repos et de dis-
traction. On le dit très sérieux, très sédentaire.
Il n'a jamais pris part aux amusements ordinaires de son âge. Les ressorts trop tendus fi-
nissent par se rompre. C'est contre nature. En-
levez Sébastien pour quelque temps à ses études et à son milieu.

— Où voulez-vous que nous l'envoyions?
dit Rosemonde.

— Partout où il pourra se distraire et ne
penser à rien. Un bon voyage en mer, par exemple.

— Comment voudra-t-il se séparer de ses
chères habitudes? Il mène une vie d'anachorè-
te. Son directeur me disait récemment qu'il ressemblait aux grands mystiques du moyen âge.

— Raison de plus pour lui imposer un acte d'obéissance. Il y va de sa vie, entendez-vous.

Quand on lui apprit son départ prochain pour une croisière aux Bermudes, Sébastien ne protesta pas comme on s'y attendait. Il se contenta de dire :

— Comme vous voudrez. Je ne demande qu'à me fortifier pour mieux servir... si c'est la volonté de Dieu.

Les jours suivants, il glissa dans une sorte de rêve torpide et doux. On lui défendait la lecture, l'étude et les exercices pieux. Les forces lui revenaient. Jamais il ne s'était senti si bien : un homme nouveau. Il se refaisait du sang, des os, de la couleur. Ses muscles, auparavant flasques, s'arrondissaient sous la poussée de la suralimentation. Il sortait maintenant au grand air, sur la galerie de l'infirmerie. Le soleil de l'été dorait sa peau trop blanche. Le vent lui apportait le chant des pinsons. Son œil noir brillait plus qu'autrefois.

Il éprouvait bien un pincement au cœur en songeant aux longues dévotions qu'il ne faisait plus depuis des semaines, aux messes quotidiennes, qu'il n'entendait plus, aux mille et un sacrifices volontaires, qu'il ne s'imposait plus, mais cette sensation fugace disparaissait sous l'involontaire satisfaction d'une vie renaissante qui lui gonflait les veines. Il avait vu la mort de

si près que la joie d'exister, de respirer, de rê-
ver et de voir le soulevait d'aise.

Il était dans ces dispositions quand le Père
Carrier vint le visiter pour le retremper dans
la spiritualité.

— Dieu, lui dit-il, t'a protégé. Par une grâce
bien spéciale, dont tu ne dois pas t'enorgueil-
lir, parce que tu n'es qu'une faible créature,
peut-être la plus faible de toutes, tu es sans
souillure. Bientôt, tu partiras seul pour un long
voyage. Sache que le démon t'y tendra ses em-
bûches. Le plus vertueux des voyageurs pèche
sept fois le jour. L'immodestie, l'intempérance
et la paresse sont à l'affut et te guettent. Cade-
nasse tes yeux et tes oreilles, voile ton cœur,
bride ton imagination. Evite le voisinage de la
femme, la conversation des incroyants et des
libertins. Ne détache pas ton regard de l'idéal
de perfection que tu poursuis depuis l'âge de
raison. Souviens-toi de la brièveté de cette vie
et de l'éternité qui suit le passage en ce monde
de douleur. Bien au-dessus de l'univers visible
existe l'incréé, l'infini, la souveraine beauté, et
c'est là qu'est la patrie, la seule patrie de ton
âme. Hélas! hélas! la joie d'un jour, d'une heure, d'un instant, suffit à te condamner à l'exil
éternel. Pensons-y! Ne jamais voir Dieu, jamais, jamais... Il y a quelques années, un jeune homme comme toi, pieux et bon, partait
pour l'Europe. Je le connaissais jusque dans les

moindres replis du cœur. Je te jure qu'il n'avait jamais péché gravement. En terre étrangère, une femme entra dans sa vie. Il lui sacrifia son temps, son argent, ses études, son honneur, ses forces... Il habitait avec elle quand, une nuit, la mort le prit sans avertissement. Où est-il? Oui, où est-il? Cette question me tourmente, moi qui l'aimais.

Le Père Carrier et Sébastien s'entretenaient ainsi tout en marchant sur la large galerie de l'infirmerie. Une branche de pommier, pleine de fruits naissants, pendait mollement le long d'une colonne. Du jardin proche montait une odeur de terre chaude et de fraises mûres. A travers les feuilles imbibées de lumière, des cigales chantaient. Les délices de l'été saturaient Sébastien. Il s'efforçait d'élever son âme vers l'Infini, mais il sentait son aile lourde de choses sensibles et finies. La matière l'attirait. Il se débattait contre elle. Les paroles brûlantes de son confesseur ne parvenaient pas à faire évaporer les substances nouvelles qui lui polluaient le sang.

La veille de son départ, il entra dans la petite église de son village et pria longuement. La Vierge au manteau bleu lui souriait. Il la regardait avec des yeux suppliants: "O Marie, mère de Dieu, murmurait-il, je vous laisse ici mon âme. Cachez-la dans les plis de votre robe, afin que je la retrouve, à mon retour, telle que je vous l'avais laissée. Eloignez de moi les tentations et ne détournez pas de moi votre face". En parlant ainsi, il s'apercevait que les images divines se brouillaient dans son cerveau, sous une nuée de pensées et d'impressions nées du subconscient profond de son être. "Qu'y a-t-il de changé en moi? pensait-il. Il y a quelques mois à peine, j'aurais voulu mourir. La mort, je lui tendais les bras comme vers une libératrice. Je ne me la représentais pas comme le squelette hideux, avec un crâne aux orbites vides, une bouche sans lèvres et hérissée de dents féroces, des côtes décharnées et des tibias sans muscles. Le bruit d'os entrechoqués, dans la danse macabre, de Saint-Saëns, m'avait toujours irrité. Car la mort, pour moi, c'était une belle, grande et pure dame, une dame de rêve, faite de lumière et d'amour, comme vous, chère Vierge, et je pensais que, quand elle viendrait me chercher, elle y mettrait une douceur toute maternelle, et qu'elle me porterait ensuite dans ses bras jusqu'au cœur de Dieu. Celle-là, je l'appelais de tout mon être, car elle était, dans ma pensée, la délivrance et la purification suprêmes... Voici que je n'ose plus l'appeler sincèrement. Une voix me crie, que je ne puis réduire au silence, tant elle domine ma volonté: "Arrière! Arrière! ô Mort! Et vive la Vie!" J'ai peur, ô que j'ai peur! Qui es-tu, Vie impérieuse, qui es-tu? Mystère et inconnu! Incerti-

tude de l'avenir! Peut-être es-tu le salut? Peut-
être contiens-tu dans tes flancs pervers les germes de la damnation éternelle. Damné, moi! O
Vierge Marie, vos regards tristes me verront-
ils un jour descendre au fond de l'abîme, où le
bonheur, où Dieu, ne paraît jamais, jamais?"

Le démon se tenait là, sans doute, derrière
un pilier. Sébastien sentait son souffle. Il lui
sembla même entendre son rire. Il en frissonna. Les images de l'amour, de la luxure et de
l'homicide dansaient et chantaient autour de lui.
C'était une ronde satanique. On eût dit que la
petite église, si calme d'ordinaire, était pleine
de rumeurs profanes, pleine de gypsies provo-
cantes, pleine de vices. Et des senteurs de chair
et de sang lui montaient dans les narines. Une
voix plus forte que toutes les autres domina le
tumulte: "Sébastien Pierre! Sébastien Pierre!
il t'échappe, ton ciel. Ha! Ha! Ha!... Ton ciel,
oui ton ciel! Tu n'y penseras plus, quand tu auras goûté la saveur du péché! Ha! Ha! Ha!..."
C'était un rire si puissant que toute la voûte du
temple en craqua. Dehors, une forte bourrasque secouait les arbres. C'est le vent, dit Sébastien. Et il pria enfin avec tranquillité.

*
* *

"La Havane", grand navire de plaisir, descend le Saint-Laurent. Sébastien erre seul sur

les longues promenades. Au départ, sa mère, en l'embrassant, lui a recommandé de se distraire, de se mêler à la foule, de profiter du voyage pour refaire ses forces.

— Je prierai Dieu trois fois le jour pour qu'il ne t'arrive rien de mal, a-t-elle ajouté.

Le jeune homme ne connaît personne dans la cohue mondaine. A qui parlera-t-il, et qui lui parlera ? On le coudoie, on le bouscule, comme s'il était un meuble. Partout autour de lui, on babille, on rit, on s'amuse. Cette gaîté, ce débraillé, l'intimident et le scandalisent. Les jeunes filles à démarche leste, au regard provocant, aux jambes bien fuselées, le croisent sans le regarder, parce qu'il est blême et triste. Des hommes entrent par groupes dans le bar, s'abreuvent, chantent des airs grivois. "Personne ici, se dit-il, ne songe à ses fins dernières". Puis cette question : "Comment peuvent-ils trouver du bonheur dans ces grossières réjouissances ?" Le mot "bonheur" le frappe singulièrement. Que signifie ce mot terrible et doux, qui ne représente, semble-t-il, rien de réel, en ce monde, et auquel chacun voue un culte, d'un bout à l'autre de la terre ? Le bonheur ! Le bonheur !...

La veille, peu après le démarrage du paquebot, Sébastien a vu des femmes en décolleté et des hommes en habit se diriger vers une grande salle d'où une musique endiablée jaillissait à

torrents. Il est allé voir. Le spectacle l'a acca-
blé et troublé. Des femmes, la plupart ravissan-
tes, tournoyaient dans les bras des danseurs.
Il n'avait pas compris qu'elles pussent garder
un regard calme et serein, un regard de mado-
nes, au moment même où elles offensaient le
ciel. Il s'était enfui vers sa cabine et s'y était
enfermé pour le reste de la nuit. Il n'avait guère dormi. L'air passionné d'un tango et le visage angélique d'une blonde Américaine, entrevu dans le remous des fêtards, l'agitaient.

Par un jeu cruel du hasard, la place assi-
gnée à Sébastien, dans la salle à manger, voisinait avec celle de cette Américaine. Au dîner
du lendemain, quand il la vit arriver en robe du
soir, les épaules nues, dégageant un parfum
subtil, il rougit et baissa les yeux. Elle le remarqua et sourit. "Un ourson qu'il faudrait
apprivoiser", pensa-t-elle. Lui, il avalait précipitamment les hors-d'œuvre et le potage. Dieu
qu'il avait hâte de s'en aller! Non pas que la
compagnie de cette femme capiteuse lui répu-
gnât, ô non! Mais il tremblait. Il lui semblait
que le bon ange et le mauvais esprit étaient
agrippés à son âme, tiraient chacun de leur côté, et que des tissus précieux, comme ceux d'une
robe immaculée et de grand prix, se déchiraient
en lui.

L'Américaine l'observait à la dérobée, silencieuse, ironique. Elle savait intuitivement que le silence même exagérait le malaise du jeune sauvage. On en était au dessert quand elle se décida à parler :

— Croyez-vous, monsieur, à l'utilité de la parole ?

Sébastien ouvrit les yeux tout grands. Elle en profita pour le dévisager avec un sourire de femme fatale.

— Eh ! bien, vous ne répondez pas ?

— Que voulez-vous que je réponde ?... Je ne vous connais pas... je n'ai rien à dire. De quoi parlerais-je ?

— Comme vous êtes enfant ! Voyez-vous ces hommes ? Il y en a deux cents au moins, dans la salle. Tous, du premier au dernier, tous, entendez-vous, auraient aimé être à votre place.

Sébastien parut ahuri de l'audace de la jeune fille. Mais il discerna tant de finesse dans ses traits qu'il n'en fut pas choqué. Il osa balbutier :

— Excusez-moi. Je n'ai pas l'habitude...

— Quel âge avez-vous... sans indiscrétion ?

— Dix-neuf.

— Dix-neuf ! A-t-on jamais vu pareille candeur chez un jeune homme de cet âge ? J'ai grandi dans une ville où les enfants de douze ans connaissaient déjà leur métier. Ça se voyait rien qu'à leur manière de nous croiser dans la

rue, de se détourner pour nous voir aller, nous
reluquer les jambes... J'aime mieux votre genre. C'est plus nouveau. J'avais deux frères.
L'un d'eux, à dix-huit ans, a enlevé une jeune
fille de seize ans. On ne les a repêchés que quinze jours plus tard, dégoûtés l'un de l'autre et
contents de rentrer. Le deuxième, à peine adolescent, était un habitué des dancings de nuit.

Sébastien ne répondit pas. Il regardait sa
voisine en songeant : "Dans quel milieu a-t-elle
donc vécu"? Le visage de cette femme était un
peu dur, sans paraître dépravé. Avec ses cheveux blonds, d'une parfaite mise en pli, son
front intelligent et lumineux, ses lèvres artis-
tement dessinées au rouge, son oval allongé,
aux lignes très pures, cette tête féminine ne
pouvait manquer de donner, au jeune homme
vierge et mystique, une impression de beauté
idéale. Sébastien ne concevait pas, dans son innocence, qu'une femme si belle pût être mé-
chante.

Il quitta la table sans rien ajouter. Il avait
le cœur oppressé, les mains moites. Il était
donc ému. Il alla se promener sur les ponts,
dans l'espoir de secouer au vent salin le parfum
féminin qui s'attachait à lui. Dehors, des couples, épaule contre épaule, se parlant d'une voix
confidentielle et chaude, regardaient le soleil se
coucher dans l'eau en longues saignées rouges,

et les goélands, les ailes transparentes de lumière crépusculaire, planaient, avec des cris rauques, au-dessus de leurs têtes. Au loin, la terre gaspésienne allongeait la chaîne de ses rocs mauves, en protégeant, dans ses anses maternelles, les barques blanches que berçait la houle. Sébastien se sentit seul, et il eut l'intolérable angoisse de la solitude. Il aurait tant aimé parler, dire à quelqu'un la splendeur des choses! Inconsciemment, il pensa à la belle inconnue qui l'avait raillé tout à l'heure et qu'il avait fuie. Alors, il se recommanda à la Vierge. Il porta instinctivement la main dans une des poches de son gilet et ses doigts égrenèrent un chapelet. Sa tristesse résista même à la prière.

Ces épreuves recommencèrent le jour suivant. En parcourant le navire pour se distraire, il s'arrêta devant le parquet du tennis, sur lequel évoluaient des jeunes filles. Il y reconnut son Américaine. Comme elle était agile et souple! Il entendit quelqu'un crier son nom: "Mary Curtis!" Il ne lui déplut pas de savoir son nom. Dans l'après-midi, le hasard le conduisit à la piscine. Mary était encore là, dans l'immodestie du costume à la mode, le dos à nu, le corps splendidement moulé par le minuscule maillot ajusté. Il était donc écrit qu'il la verrait partout. Et il s'éloigna précipitamment. Au dîner, la jeune fille lui dit:

—Je vous ai vu à la piscine. Pourquoi ne vous baignez-vous pas?

—Je ne sais pas nager.

—Vous vous privez d'un grand plaisir. Que n'apprenez-vous? Venez demain, je vous y aiderai. C'est très simple. Tenez, vous faites comme ça, pour commencer...

Et Mary exécuta quelques mouvements de natation qui la rendirent plus provocante.

—Vous imaginez la volupté de vous plonger dans cette eau fraîche, qui caresse toute votre peau, vous nettoie jusqu'à s'occuper du moindre grain de poussière... Une douceur qui glisse le long de vous, de la tête aux pieds! Chaque fois que je sors de là, j'éprouve une paix, une tranquillité, un repos... Voilà ce que vous manquez.

—Je n'y tiens pas, croyez-moi, dit sèchement Sébastien.

—Je me demande à quoi vous tenez. J'ai l'impression que vous vous appliquez, depuis votre enfance, à vous ennuyer. Qu'est-ce que vous aimez dans cette vie? Depuis deux jours que je vous observe, vous rôdez autour de nous comme une petite bête affamée qui refuserait de manger. A votre âge, on a plus d'allant, plus de sourire, plus d'insouciance. Avez-vous du sang dans les veines? Vos nerfs sont-ils gelés par vos hivers? Vos muscles sont-ils fabriqués avec du givre? Et cette peur des femmes?

Qu'est-ce que ça veut dire?... Vous l'avoue-
rai-je? J'ai pitié de vous! Si je vous avais pour
seulement un mois, c'est moi qui vous dégèle-
rais.

— Je vous en prie, mademoiselle Curtis...

— Tiens, vous savez mon nom. J'ai su le
vôtre dès le premier jour, moi, Sébastien Pierre...

Mary n'avait aucunement l'intention, pour
l'heure, d'entrer dans l'intimité du jeune mystique, qu'elle considérait comme un enfant. Tout
au plus s'amusait-elle à mettre à l'épreuve sa
timidité et sa gaucherie; mais, au fond de ses
taquineries, il y avait un peu de perversité: elle
aurait été flattée de troubler cette âme simple.
Dans les longs silences qui entrecoupaient la
conversation, elle le regardait fixément, sans
sourire, et elle sentait alors que Sébastien éprouvait un plaisir mêlé de détresse. Elle ne tenait
guère que des propos enfantins, mais ses yeux
ne perdaient jamais la flamme sombre et bleue
de la fatalité. Elle était capable d'amour, non
de tendresse, et cet amour serait tyrannique et
impitoyable.

D'une ambition sans limites, elle avait besoin d'action violente. Toute petite, l'instinct
de la destruction la distinguait. Elle brisait la
tête de ses poupées sous prétexte qu'elles refu-
saient de lui parler. Un jour, elle cassa douze
plats de porcelaine, parce que les dessins de

fleurs, qui y étaient imprimés, lui déplaisaient.
A l'école, elle faisait des estafilades aux petits
visages féminins qu'on disait aussi beaux que
le sien. Partout, elle combattait l'obstacle et la
concurrence. Elle grandit en s'appliquant à la
dureté et en fuyant l'attendrissement et la pitié. Une vieille femme lui avait dit que c'était
une faiblesse que de pleurer pour un beau sentiment. Elle retint la leçon et s'exerça à la
cruauté. Elle avait seize ans quand sa mère
mourut. Elle ne pleura pas, car elle se répéta
cent fois: "Mary, tu ne regrettes pas la mort
de ta mère". C'était terrible. Toute la nature
protestait contre ces mots monstrueux. Le croi-
riez-vous? A la fin, à force de se le dire, elle
n'avait plus aucune peine. Elle gardait son émotion pour le plaisir.

Un jeune homme s'éprit de Mary. Il avait
vingt ans, elle, dix-huit. Il était sentimental et
sans caractère. Elle faisait de lui tout ce qu'elle
voulait. Le salaire de cet amoureux transi se
perdait dans les toilettes dispendieuses de cette débutante de la pègre. Un jour, elle le poussa à une action inouïe. Les pierres précieuses
la tentaient. Elle entra chez un bijoutier de sa
ville et se fit montrer les plus beaux diamants.
Profitant d'un moment d'inattention du commis, elle s'empara de la plus grosse pierre et
l'enferma dans un morceau de gomme à mâ-
cher qu'elle colla sous la planche du comptoir.

Quand elle fut partie, l'employé de magasin compta ses diamants. Il en manquait un, pas le moindre : dix mille dollars. Le truc de la "chewing gum" était connu. Il chercha partout sous les planches et finit par trouver. Il réfléchit que quelqu'un passerait, le lendemain, prendre le trésor. En effet, Mary enjoignit à son pauvre gosse d'amoureux d'aller quérir le diamant à l'endroit indiqué. Il obéit, il l'aimait tant !

Un détective fut mandé, qui se transforma en commis, derrière le comptoir, et attendit. Vers le milieu du jour suivant, un jeune homme se présenta, se fit montrer des bijoux, et, subrepticement, s'empara du diamant à l'endroit même où Mary l'avait caché.

Arrêté à la pointe du revolver, conduit devant le tribunal, questionné de toute façon, il fut condamné et conduit à la prison sans révéler, malgré les menaces, le nom et l'adresse de la vraie coupable. Et Mary, en apprenant ce drame, qui souillait et démoralisait à jamais son ami, se contenta de dire :

—L'imbécile !

* * *

Ce soir de juillet se termina par une orgie, à bord de "La Havane" : le bal avant la première escale. A quelques milles des côtes américaines, le navire illuminé voguait, paquet d'étoiles, dans sa féerie. On dansait sur les ponts, dans les salles, dans les couloirs, partout. A chaque intermède de l'orchestre, des groupes d'hommes et de femmes, chantant des refrains lestes, s'engouffraient dans le bar pour y trinquer. Chaque cabine de luxe était un lieu de rendez-vous. On a souvent observé l'étrange effet de la mer sur les voyageurs. Chacun y dépouille, dirait-on, sa défroque de conventions et de contraintes. On est sur le navire, en plein océan, comme sur une île flottante, qui ne serait la patrie de personne, où chacun oublierait les lois, les habitudes, les obligations contractées en pays natal. L'avare devient prodigue, le timide se paye d'audace, le pudique s'émancipe, le triste se déride, le chaste s'amollit. L'éloignement d'un milieu qui vous contraignait vous porte peut-être à des actes et sentiments inaccoutumés. Il y a aussi l'air de la mer, le sel, l'oxygène, la bonne chère, l'activité du sang et, enfin, la promiscuité de divers types nationaux se coudoyant avec leurs esprits divers et formant une moyenne de liberté, souvent de licence.

Est-ce pour cette raison que Sébastien, ce soir-là, se sentait tout autre? L'image de Mary était entrée dans son imagination, dans sa vie, et il luttait vaillamment, vainement, pour l'en expulser. Elle était là, tout au fond de lui, où elle mettait une douceur infinie, où elle s'incrustait par le sourire et la beauté. Rentré de bonne heure dans sa cabine, il chercha la délivrance dans un sommeil qui ne vint pas. Mary était toujours présente, presque tangible. Une voix montait du fond de lui-même :

— Tu sais bien que tu l'aimes ? N'est-elle pas adorable ?

Et il se répondait inconsciemment.

— Est-ce bien ça l'amour ? Je n'aurais jamais cru que ce fut si divin... Mais non, je n'aime pas, je n'aimerai pas, je ne veux pas aimer !

— Que tu le veuilles ou non, Mary existe en toi. Qu'y peux-tu ? Elle y est comme ta mémoire, comme ta pensée, comme ta conscience.

Sébastien invoquait la Vierge Marie. La voix répondait :

— La Vierge Marie n'était pas plus belle. Et qui te dit que Mary n'est pas digne d'être aimée ?

Le jeune homme voyait défiler devant lui toutes les femmes bibliques que l'amour avait nimbées : Rachel, épouse de Jacob, Ruth, dormant à côté de Booz, Judith, séduisant Holopherne, pour le perdre, Esther, sauvant son peuple par l'amour qu'on lui portait, Madeleine versant des parfums sur les pieds de Jésus. . .

Elles s'avançaient toutes, les femmes d'Israël, et toutes, elles avaient le visage merveilleux de Mary... Après elles venaient Hélène de Troie, Didon, Cléopâtre, les figures fatales... Ses souvenirs scolaires et religieux se confondaient dans son cerveau, où ils dansaient une ronde étourdissante. Sébastien se sentait pris désespérément.

Quand donc dormirait-il? Il s'assoupissait par instants, puis s'éveillait subitement, comme sous le souffle chaud de Mary. Il priait, mais sa prière se perdait dans la mer au lieu de monter vers les étoiles. Des airs langoureux de "blues" ou brutalement sensuels de "fox-trots" venaient ramper sur son oreiller. A tout moment, il entendait passer des groupes, devant sa porte, et les voix féminines, plus aiguës, se mêlaient au timbre mâle et aviné des hommes. Enfin, vers trois heures du matin, un calme relatif. Sébastien s'endormit. ....
....

— Qui est là? s'écrie-t-il, en s'éveillant en sursaut.

On frappe violemment à sa porte. Une odeur de fumée s'infiltre par le hublot.

— C'est Mary. Levez-vous vite! Le feu à bord! Venez et suivez-moi!

Dans les passages, des pas affolés, un brouhaha, des cris stridents, des meubles renversés, des potiches cassées. ....
....

*   *
*

Les agences de presse répandirent la nouvelle dans tout l'univers. A dix heures du matin, la famille Pierre n'en savait rien encore. Un reporter d'un journal québecois survint. Rosemonde était seule.

— J'ai appris, dit le jeune journaliste, que votre fils, M. Sébastien Pierre, était à bord de "La Havane".

— Pourquoi me demandez-vous cela?

— Parce que notre journal voudrait publier sa photo.

— Il n'y a aucune raison de publier sa photo. Il serait le premier à s'y opposer. Mon fils est trop modeste pour aimer la publicité.

— Mais, dans la circonstance... un drame si poignant...

— Quel drame? Je vous en prie!... dit Rosemonde en pâlissant.

Le reporter s'aperçut que la pauvre femme ignorait tout. Il se troubla, ne sachant que dire.

— Vite, répondez! Qu'est-il arrivé? Mon Dieu! Mon Dieu!

Le jeune homme aurait voulu fuir. Comment prendre la responsabilité d'être le premier à annoncer à une mère la mort de son fils? Et quelle contenance aurait-il à subir la scène inévitable qui s'ensuivrait? Il songea à ce que le journal exigeait de lui, à sa mission, à sa réputation de journaliste: pouvait-il battre en retraite? Il parla:

—Le paquebot "La Havane" a pris feu, cette nuit, au large des côtes américaines. Plusieurs passagers sont sains et saufs. Votre fils est peut-être parmi eux. Nous n'en savons rien. Nous avons câblé pour détails...

—Parlez franchement... Vous ne me cachez pas quelque chose?... Sébastien!... Mon pauvre petit!

—On dit un mot de lui dans la dépêche. Tenez, ceci: "M. Sébastien Pierre, le seul passager de Québec, n'a pas répondu à l'appel".

Rosemonde, livide, n'articula pas une parole. Une angoisse lui serrait la gorge. Après quelques minutes de cette sorte d'anéantissement, elle se leva toute droite, et balbutia:

—Attendez-moi... Je reviendrai.

Et elle disparut dans sa chambre. Là, elle s'agenouilla sur son prie-Dieu, la tête dans les mains. Elle voulait prier. Les mots ne venaient pas. Sa pensée même s'évanouissait. Elle ne put que répéter:

— Mon Dieu! mon Dieu! mon Dieu!

Les sanglots montèrent enfin du fond de sa poitrine. Elle se jeta sur son lit, la face sur les coussins, et elle se laissa secouer violemment par sa douleur. Puis elle réagit.

— Voyons, dit-elle, soyons courageuse!

Elle exhuma d'un tiroir la chère photo de Sébastien et vint la remettre au reporter. Le journaliste, qui remarquait ses yeux rougis de larmes, trouva cette pauvre consolation:

— Votre fils est peut-être vivant. Dans des accidents de ce genre, on prend souvent plusieurs jours avant de retrouver tout le monde.

— Je pressens, dit-elle, que je ne le reverrai plus.

Le jour suivant, il sembla évident que Sébastien Pierre avait péri dans l'incendie de "La Havane". Aucune nouvelle de lui. Les journaux continuaient la terrifiante description du sinistre maritime: scènes déchirantes, bagarres entre passagers luttant comme des fauves pour occuper les chaloupes, paniques où l'on s'écrasait à mort, cris des femmes affolées, courant en vêtements de nuit au milieu des flammes et de la fumée. Dans ce désordre, précédé d'une orgie nocturne, des actes d'héroïsme: des hommes avaient contenu la foule, pour livrer passage aux femmes, puis, au moment où le brasier les atteignait, avaient chanté l'hymne de l'adieu. On avait vu le capitaine s'affaisser sans un cri dans un tourbillon de feu.

D'heure en heure, les Pierre, qui lisaient avec consternation ces rapports dramatiques, recevaient cette dépêche de la compagnie maritime : "Aucune nouvelle de M. Pierre." A la fin : "On croit que M. Pierre a péri".

Plus de doute possible. René Pierre passa aux Etats-Unis, pour aider lui-même aux recherches. Il descendit sur une plage, dont les habitants étaient encore dans l'excitation. Au large, le navire échoué achevait de se consumer au milieu de plusieurs petits bateaux d'où partaient des jets d'eau qui arrosaient copieusement les ponts et les flancs de "La Havane".

René consulta un officier marin :

— Pensez-vous, dit-il, qu'il sera possible de reconnaître les cabines et de retrouver des ossements, une fois l'incendie éteint?

—Dans plusieurs cas, oui. Nous avons ici un diagramme qui nous permettra sûrement de localiser les chambres... qui resteront.

Le père attendit, douloureusement. Ce n'est qu'au bout d'une semaine qu'on put visiter la monstrueuse épave. Ce palais luxueux, dont les salons, éblouissants d'or et de cristal, résonnaient, huit jours plus tôt, de danses, de chants et de sonneries d'orchestre, dont les tapis épais obéissaient aux pieds des marcheurs comme la

mousse des bois, dont les fines sculptures, ins-
pirées de la mythologie, étaient autant d'appels
à la joie des yeux et à la volupté artistique, ne
portait plus qu'une masse de bois calciné, de
suie, de métal tordu. Les divisions intérieures
n'étaient pas toutes détruites. Quelques plan-
chers, rabotés par le feu, avaient résisté.

René Pierre pénétra dans cette nécropole
en compagnie de quelques officiers. De temps à
autre, on butait sur des squelettes que l'on ten-
tait vainement d'identifier. Enfin, on trouva la
cabine de Sébastien, dont les murs charbon-
neux n'avaient pas croulé. En travers de la porte, des ossements: un crâne, des vertèbres, des
fémurs, des tibias.

— C'est tout ce qui reste de Sébastien! dit
René Pierre. Il fit un effort pour ne pas sanglo-
ter. ....
....

*
*　　*

Plus de cent parents et amis allèrent rencontrer, à la gare du Palais, à Québec, les ossements enfermés dans un cercueil de cuivre.
qu'engouffra un énorme corbillard attelé de deux
chevaux noirs. Dans le cortège morne qui se
dirigeait vers Saint-X, on n'entendait que les
gémissements des femmes.

A l'arrivée à la maison des Pierre, nouvelle scène déchirante. Comme on exposait les restes mortels en chapelle ardente, Rosemonde couvrit de sanglots le coffre funèbre, qu'elle entoura de deux bras convulsifs.

— Que ne puis-je, disait-elle, revoir tes traits chéris! La mort a tout détruit... tes yeux que j'aimais tant, ta bouche, qui savait si bien prier, ton sourire... Plus rien, rien, rien!

— Il reste quelque chose de lui, quelque chose d'indestructible. Venez avec moi, et parlons de son âme.

C'était le Père Carrier, qui, très ému lui-même, venait consoler la pauvre mère. Plus que tout autre, il avait connu Sébastien. Seul il avait pénétré son coeur, scruté ses pensées, ses désirs. Il emmena madame Pierre à l'écart et lui dit:

— Je dirigeais l'âme de votre Sébastien depuis bientôt huit ans. Cet enfant n'a jamais commis une faute grave. Dieu avait ses desseins sur lui. Il était de la famille des Louis de Gonzague, des Jean Berchmans et des Stanislas de Kostka. Un saint! De là-Haut où il nous regarde, il sera une protection pour nous tous et pour sa race.

— Le supplice du feu! murmura Rosemonde à travers ses larmes... Je me souviens d'un jour — il était grand comme ça, et si gentil! — où il rêvait d'être brûlé vif, comme les premiers martyrs du pays.

— Son vœu s'est réalisé...

— Il a écrit, continua Rosemonde, des notes de journal très édifiantes. Elles sont dans le
tiroir du petit secrétaire, ici. Il en a sûrement
d'autres à sa table de travail, au collège. Voulez-vous les lire?

— Assurément. Ces notes traduisent les sentiments d'une âme prédestinée... Et maintenant, madame, soyez forte dans l'adversité. Ce
que Dieu fait est bien fait.

Rosemonde parut rassérénée. Tous les êtres
soumis à la volonté divine trouvent, dans leur
croyance, un baume aux plus cuisantes douleurs.

Les funérailles attirèrent une grande foule.
Fidèles et curieux remplissaient la petite église
de Saint-X, dont l'orgue exprimait, en longues
et solennelles vagues d'harmonie, les chants de
deuil sacrés. Le "Miseremini mei", le "Dies
Iræ", le "Libera me Domine" tombaient en
notes graves, tantôt plaintives, tantôt irritées,
tantôt menaçantes, sur le cercueil de cuivre qui
contenait quelques ossements d'homme... Et
cet homme avait senti, imaginé, pensé, souri,
pleuré. Toute sa chair, ses muscles, ses yeux,
sa matière grise, ses nerfs, par une nuit tragique, s'étaient volatilisés et avaient monté en
fumée vers le ciel, s'étaient mêlés au nuage
noir, qui, en ces heures terrifiantes, répandait

la senteur âcre et repoussante des corps brûlés... Mais, dans le temple rempli à craquer
des connaissances et amis de la famille Pierre,
personne ne se demanda si vraiment les ossements enfermés dans le métal étaient ceux de
Sébastien.

Le cercueil, descendu dans la fosse par quatre des anciens confrères du jeune Pierre qui
tenaient les cordes, heurta, avec un bruit sourd,
les parois de l'excavation. Les porteurs pleurè-
rent.

On jeta de grandes pelletées de terre sur le
mort. On dépose sur le tertre trente gerbes de
roses, d'œillets et de lys blancs. C'était comme
un jardin.

La réputation de sainteté de Sébastien ne
tarda pas à grandir. Le Père Carrier faisait
partout son panégyrique. Il racontait sur le
compte de son ancien disciple, une foule d'anec-
dotes édifiantes. Le journal de ce dernier avait
mis le comble à son enthousiasme. Souvent, le
religieux en parlait à Rosemonde, et celle-ci
allait quotidiennement au cimetière s'agenouil-
ler sur la terre fleurie qui recouvrait son plus
cher, son plus tendre, son plus tragique souvenir.

On publia les notes du jeune homme. Un
véritable traité de spiritualité. Le manuscrit
des dernières années surtout étonnait par la
profondeur de certaines pensées et par un idéal
de pureté qui charmait les âmes honnêtes.

Les époux Pierre vivaient de la mémoire de leur Sébastien. Ils avaient multiplié sa photo dans toutes les pièces de la maison. Le soir, quand ils priaient en commun, ils adressaient toujours une oraison à l'enfant qui demeurait, pour eux, l'exemple de la chasteté, de l'obéissance, du renoncement et de l'humilité. L'image agrandie du disparu s'étalait au-dessous d'un crucifix d'argent, tout près d'une sainte Thérèse. On récitait cette prière, qu'il avait composée lui-même, à l'âge de dix-sept ans :

" Mon Dieu, créateur de toutes choses, Père de la lumière et des étoiles, Père de la terre et des hommes, Vous qui avez fait mon père, ma mère, mes frères et mes sœurs, Vous qui m'avez fait et m'avez tout donné, sans qui je ne suis rien et ne puis rien, Vous de qui je viens et à qui je dois retourner, Vous qui avez donné à mon âme la Grâce divine comme aux fleurs leur parfum, Vous dont le Fils a revêtu notre chair, par la Vierge Marie, et est mort en croix pour nous, faites que, en retour de tant d'amour, nous vivions et mourions en Vous, par Vous et pour Vous ".

Sébastien avait un frère cadet, Irenée, qui passait pour le mauvais sujet de la famille. Espiègle, tapageur, insoumis, frondeur, il avait lassé la patience de tous ses maîtres. Chassé de la petite école, chassé du collège, incapable de garder un emploi, il faisait le désespoir de son père. Après la catastrophe de " La Havane ", où avait disparu l'aîné de la famille, Irénée avait senti la gravité de la douleur humaine et l'importance de ses nouvelles responsabilités de chef de file, car il devenait le plus âgé des fils Pierre. Il fut désormais sérieux, appliqué, docile. On attribua cette conversion à l'intervention surnaturelle du défunt.

— L'âme de Sébastien accompagne Irénée, disait Rosemonde.

Et la maison de René Pierre, une fois les larmes séchées, baigna dans une atmosphère de paix et de bonheur. En cette fin d'été, elle reposait sous les branches des érables, face à des parterres de fleurs où butinaient des bourdons dorés.

DEUXIEME PARTIE

Une maison retirée au fond d'une cour, dans une banlieue de New-York. Un jeune homme, presque un adolescent, et une jeune femme, y vivent depuis quelque temps. D'où viennent-ils? Que font-ils? Quelles sont leurs ressources? Personne ne le sait. Un certain luxe les entoure. Ils semblent connaître des personnages importants. De temps à autre, une seize cylindres stoppe dans le voisinage. Des hommes bien mis descendent d'automobile et vont visiter le jeune couple. Tout est mystérieux, dans les allées et venues de ces gens.

Dans le silence des soirs, quelqu'un qui se serait assis, invisible, dans le chaud boudoir aux tentures rouges, aurait saisi d'étranges conversations et deviné des pensées.

— Sais-tu, disait la jeune femme, que tu as meilleure apparence, depuis que tu as changé de vie? Tu n'étais qu'un collégien malingre, timide et mystique. Tu as pris de l'assurance, de l'embonpoint, de la couleur. Tu auras bientôt la mine d'un vrai gentleman... Mais tu n'es pas assez gai. Quand jetteras-tu ce masque triste? Ta bouche sourit, mais tes yeux...

— Crois-tu, Mary, qu'il me soit facile d'être gai ?

— Je comprends. Tu aimais tes parents, ils t'aimaient. Tu avais là-bas de bons amis... Mais l'amour, oui, l'amour que tu ne connaissais pas, que je t'ai fait. connaître, n'en vaut-il pas la peine ?

— N'ai-je pas assez montré que je l'appréciais ? répondait le jeune homme. Et il baisait les lèvres de sa blonde amie.

Il retombait dans la songerie. Les événements des mois derniers se déroulaient dans son souvenir.

Quel changement ! L'or pur mué en plomb ! Du plomb, il en avait partout dans l'âme, partout dans la poitrine. Son plaisir même était de plomb. Pour oublier son ancien idéal, il s'était livré sauvagement à l'amour humain. Depuis le fatal instant où l'ange avait cédé à la bête, il sentait en lui le puissant travail de l'enfer, et il épuisait les énergies de la jouissance temporelle, afin de faire payer à la terre le bonheur infini qu'elle lui avait ravi.

Il se rappelait la nuit tragique. Au début de l'incendie, Mary venait l'éveiller et l'attendait à la porte de la cabine. Il sortait à demi vêtu, et cette femme le saisissait vivement par le poignet pour l'entraîner vers une promenade

extérieure. Tout le monde se bousculait. Dans
la cohue, Mary et Sébastien avançaient, recu-
laient, piétinaient sur place. Un vent léger leur
apportait des bouffées de fumée. A l'arrière,
une explosion formidable, secouant violemment
le navire de la poupe à la proue. Les flammes
crépitaient tout autour.

Puis ce fut l'obscurité. Il ne restait plus
qu'une clarté sinistre et intermittente, celle qui,
en traînée de feu, se frayait un passage à travers un nuage de suie. On sentait la chaleur
sur ses joues, sur ses jambes, partout. Des femmes s'évanouissaient, d'autres étaient foulées
aux pieds. Des hommes d'équipage, pour avoir
voulu occuper une chaloupe avant des passagers, avaient été tués comme des chiens par des
officiers... La moitié du navire n'était plus
qu'un brasier. Des personnes brûlées vives, dans
leur fuite tardive, gémissaient, hurlaient et
tombaient. D'autres mouraient sans doute d'as-
phyxie dans leurs cabines. Sur les ponts, on s'é-
crasait. C'était la panique. La descente des chaloupes allait mal. On attendait des minutes éternelles.

—Les trois-quarts de ces gens vont mourir
comme des rats dans une trappe, disait Mary.

—Recommandons-nous à Dieu et attendons
la mort! répondait Sébastien.

— Non, faites ce que je vous dis. Plongez dans la mer, les mains comme ça, tenez, tête première. Vite! je vous suis. J'essaierai de vous sauver.... Autant mourir noyés que brûlés.

La femme l'aidait à plonger. Le saut dans le vide, une sensation étrange au cœur, puis floc! La mer se refermait avec grand bruit sur lui. Il lui semblait qu'il descendait jusqu'au fond de l'abîme et qu'il ne remonterait plus. Les lèvres serrées, la respiration suspendue, il remuait bras et jambes pour se délivrer de l'étreinte sauvage, douce et cruelle de l'océan qui le caressait en l'étranglant, le tuait sans lui faire violence, sans lui briser un muscle, sans lui tirer une goutte de sang. Puis, il jaillissait à la surface. Une gigantesque flamme éclairait l'épouvante de sa face navrée.

Le jeune homme revivait en pensée l'heure décisive où, se débattant contre la mer, près du navire en feu, Mary le frappait d'un coup violent au menton et le traînait, inconscient, vers un yacht que le hasard avait conduit là. On avait hissé les deux jeunes gens dans la petite nef, et le capitaine avait crié:

— Maintenant, filons!

Les propriétaires du yacht étaient des contrebandiers. On avait prêté de vieux habits à Sébastien et à Mary, qui étaient presque nus. Un nommé Hoffman, voyant qu'ils grelottaient,

leur avait offert à chacun une tasse de rhum.
Ils avaient bu à grandes lampées. Sébastien,
qui n'avait jamais absorbé tant d'alcool, avait
senti s'enflammer ses veines. Il avait regardé
Mary droit dans les yeux, et elle lui avait souri sans ironie, cette fois:

— Mon pauvre petit, avait-elle dit, deux
secondes de plus, c'en était fait. Es-tu content
au moins?

— Comment vous exprimer ma reconnais-
sance, mademoiselle. Il y eut un temps où je
voulais mourir. Mais vous me donnez le goût
de vivre.

— Le goût de vivre! Tu le garderas, si tu
veux m'écouter. Je t'ai sauvé afin que tu ap-
prennes ce que vaut la vie. Si tu ne savais pas
comment vivre, mieux vaudrait pour toi retourner aux requins.

Ces mots avaient troublé Sébastien. On lui
avait appris que l'existence terrestre n'était
qu'une transition, une travée entre le fini et
l'infini. Et voici qu'on lui proposait d'accepter
le pont transitoire comme fin dernière et habitation définitive. C'était cela, la damnation éternelle. Mary lui présentait, de toute la douceur de
sa voix, de toute la persuasion de ses yeux bleus
fixés sur les siens, ce pacte avec le mal qu'il allait signer. Il se rendait compte de l'énormité de
la transaction; il n'en frémissait pas d'horreur.

On avait passé quinze jours en mer. Mary avait pris Sébastien corps et âme. Ensemble nuit et jour, ils avaient connu l'inévitable. Le jeune homme avait d'abord éprouvé une sorte de vertige au bord de l'abîme. Il avait eu peur de l'inconnu. Sa résistance même avait accru la force de séduction de la femme. Puis, la défaite, la chute, l'abandon de tout l'être au bonheur terrible, au cloaque ténébreux dont on ne se débourbe plus quand, pour s'y plonger, on a bondi d'un tremplin de pureté et de lumière.

Quelques heures de dégoût avaient vite fait place à une immense tendresse pour la femme à laquelle il devait la vie... et la mort. Il était encore foncièrement mystique, et c'est en mystique qu'il regardait Mary. C'est en elle qu'il cherchait à apaiser le tourment de l'inassouvi. Il contemplait dans ses yeux des reflets de beauté éternelle, une flamme incorruptible. Cet être périssable, il le revêtait, en imagination, de bonté, de clémence, de force et de grâce incréées. Une fois qu'une âme s'est assez dilatée pour embrasser l'infini, elle cherche éternellement cet infini dans l'amour destructible. Ni la passion animale, ni les paroles perverses, ni l'expérience dans le mal, ni le monstrueux égoïsme de sa compagne ne lui avaient dessilé les yeux : Mary avait une auréole. Au bout de quelques jours, Sébastien n'était plus qu'un amant frénétique.

*

* *

Après avoir visité des îles lointaines, on avait abordé au fond d'une crique des côtes de l'Atlantique. Le yacht était plein d'alcool. Jusqu'au petit jour, des hommes mystérieux avaient transporté la cargaison dans des lieux inconnus. Au lever du soleil, on avait filé en auto, avec deux contrebandiers, vers New-York.

— Que vas-tu faire maintenant? avait demandé Mary.

— Mes parents? Ils croient sans doute que j'ai péri. Je vois d'ici les larmes de ma mère... N'est-ce pas curieux, je ne désire plus retourner là-bas... Des liens se sont rompus en moi qui ne se noueront plus... Je ne veux pas te quitter, Mary, si tu veux me garder... Je sens que si je pars nous ne nous reverrons plus.

— M'aimes-tu assez pour ne jamais regretter d'être resté? lui avait dit Mary, après un moment de réflexion.

— Oui. Je le jure.

— Ne jure pas... Tu ne me connais pas. Sais-tu que je suis ton aînée de huit ans? Ma vie est pleine de choses inquiétantes... qui te détacheront de moi, quand tu les sauras... J'aime l'argent, le luxe, l'aventure. Pour me les procurer, je recours à n'importe quel moyen. Es-tu capable de me suivre?

— Oui.

— Et ta mère?

— J'y pense. Ma mère! Comment me montrer sans rougir à ses yeux purs?

Jusqu'au midi, on ne parla guère. Sébastien éprouvait pour la première fois la sensation de la délivrance. Tous les ressorts de son être s'étaient distendus. " Je suis libre, libre, libre! pensait-il... Mais c'est impossible! Comment puis-je abandonner les miens?" Puis cette question angoissante: "De quoi vivrai-je si je reste ici?"

Au dîner, dans un hôtel de la plage d'Old Orchard, Mary avait acheté des journaux. On y parlait encore du désastre de "La Havane". Au bas d'une page, cette note: "Au village de Saint-X, Canada, ont eu lieu les funérailles de M. S. Pierre, dont on avait retrouvé, il y a quelques jours, les ossements calcinés dans le navire incendié".

L'Américaine regarda Sébastien en étouffant un petit rire:

— Je ne devrais pas rire, dit-elle, mais lis toi-même.

Le jeune homme lut avec stupéfaction. Les yeux grands d'épouvante, il s'arrachait les cheveux en murmurant: " Que faire? Que faire?" Mary l'observait avec inquiétude. Elle connaissait son extrême sensibilité. Tout à coup, elle vit son visage s'animer. Il ferma les paupières un instant, puis les rouvrit en un éclair plein de force et de résolution. C'était le grand choc qui se produisait en lui. Sébastien leva la tête d'un mouvement vif. Jamais son visage ne parut si mâle. Et il s'écria:

— Sébastien Pierre n'existe plus! Dieu lui-même a voulu qu'il meure. Eh! bien soit, je suis mort, Mary, je suis mort! Sais-tu ce que cela signifie? Les ponts sont coupés derrière moi. Impossible de retourner à la première vie. Mais un autre a pris la place de Sébastien. A nous deux la vie, Mary! Je nais une seconde fois. Baptise-moi d'un nouveau nom, le nom que tu voudras. Je suis à toi!

— Tu m'aimes à ce point! Quel est l'homme qui en ferait autant pour Mary Curtis? Donne-moi ta main! Je suis à toi... pour toujours. Tu me demandes un nom: tu t'appelleras Tony Jackson, en souvenir d'un vieil ami de ma famille... Il venait souvent à la maison, me faisait sauter sur ses genoux, me comblait de friandises. Je l'aimais bien. Il est mort, fais-le revivre!

— Souviens-toi, Mary, que Tony Jackson a quitté pour toi sa patrie, sa maison, son père, sa mère, ses frères, ses sœurs, ses amis, son Dieu. Il ne lui reste plus rien, plus rien, que toi. Il faut que tu sois tout pour lui.

— Tony, je croyais d'abord que je ne pourrais t'aimer. Tu étais jeune et sauvage. Je voulais simplement jouer, ruser avec toi. Il m'amusait beaucoup de taquiner tes scrupules de collégien et de faire rougir tes joues... Puis, nous avons risqué notre vie ensemble. Je t'ai sauvé. Nous avons vécu avec les marins. Nous nous sommes connus dans la solitude de la mer, où rien ne pouvait nous distraire l'un de l'autre. Je te créais un cœur nouveau, une personnalité nouvelle. Dans tous ces événements, j'ai senti que je prenais envers toi une responsabilité... Oh! je n'ai jamais eu souci de mes responsabilités, car je ne suis pas vertueuse, mais, cette fois, un élément inconnu pour moi: c'est moi, la femme, qui t'ai pris, qui t'ai fait. Tu es ma chose, mon œuvre. Tu n'existerais pas sans moi. Je sais que, quoi qu'il advienne, dans l'avenir, tu ne pourras m'oublier: tu me porteras en toi. Toutes les femmes qui viendront après moi — ne proteste pas, tout peut arriver — me trouveront au bord de tes lèvres.

De l'endroit où ils dînaient, les deux amants voyaient la plage d'Old Orchard, avec sa grande courbe de sable où la mer, en longues vagues frangées, déroulait et retirait interminablement

son tapis liquide, instable et bleu, sur lequel les
goélands mettaient le dessin blanc de leurs ailes.
Des milliers de baigneurs en maillot se rou-
laient dans la douceur de l'eau. Sébastien disait :

— J'aime la mer. Tu m'as fait découvrir la
mer, Mary. Sans elle, tu ne m'aurais pas sauvé, tu ne m'aurais pas eu...

— Tu n'auras pas à le regretter. Je t'ai
donné la liberté. A nous deux ! Nous tirerons
de la vie tout ce qu'elle peut donner. Par le mal
comme par le bien, nous en boirons le vin ou le
poison jusqu'à la dernière goutte. J'ai dit le
mal, ou ce qu'on appelle le mal. N'en aie pas
peur ! Les gens heureux et comblés de biens ont
été obligés, pour parvenir, de faire le mal sous
le manteau de la philanthropie. Les hommes capables de se payer le luxe de la bienfaisance
ont presque toujours commencé par capitaliser
la souffrance de leurs semblables. Il est des fortunes — presque toutes les fortunes — qui ont
pris racine dans l'iniquité. Depuis que je connais le monde, je constate que la société est
comme la mer, pays de monstres qui s'entre-
dévorent, de mangeurs et de mangés. C'est le
triomphe du plus fort. Malheur aux faibles !
Soyons forts, Tony, soyons-le de toute manière ! Et il y a mille manières d'être forts. J'ad-
mire la force. Je me refuse à prendre rang par-

mi les résignés. Toi, un homme, te contente-
rais-tu de la ridicule portion du percheron de
charrue? Je ne t'aimerais pas sous l'attelage,
encore moins sous le fouet. Sois le fouet toi-
même! C'est ce qui m'exalte. Tiens, j'aimerais
même le chef des gangsters, s'il avait du succès. Peu importe ses crimes : c'est un homme,
celui-là !

— S'il n'y avait pas d'autre vie, si nous allions vers le néant, Mary, tes paroles auraient
peut-être un sens. Mais je n'y pense plus, je n'ai
plus la force d'y penser, depuis que je t'ai con-
nue.

— Tu n'auras pas le temps d'y penser, si tu
m'écoutes. Es-tu capable de me suivre? Il me
plaira de vivre à l'encontre de la loi, des sociétés et des conventions, aiguillonnée par mon ca-
price et mon amour. Il y a une sorte de volupté
à être un "outlaw". On est indépendant de
tout et de tous, on brise de vieux moules, on dérange sans cesse les innombrables barricades
posées en travers de nos jouissances, de nos vo-
lontés, de notre personnalité, par la prudence
de bonzes pourris qui prêchent un ordre et une
morale qu'ils sont les premiers à violer.

— Tu es donc nihiliste, Mary, nihiliste, avec
des yeux comme ceux-là...

— Je suis peut-être excentrique, egocentri-
que et sensuelle. Chaque passion à laquelle je

me suis livrée m'a procuré des joies, et ces joies, fussent-elles amères et cruelles, je les ai aimées. Il me semble qu'il n'y a pas assez de passions dans le monde pour me satisfaire. J'ai une soif inouïe de sensations. J'irais jusqu'à l'extrémité de moi-même, jusqu'à l'abîme, jusqu'à la mort, pour épuiser les possibilités de ma vie.

Sébastien la regardait avec terreur et amour. Il avait peur d'elle, et, en même temps, il se sentait tiré vers elle comme si la monstruosité de cette âme l'eût hypnotisé, comme s'il avait trouvé une séduction dans la grandeur du mal.

— Tu ne crois pas en Dieu ? dit-il.

— Tu me fais rire !

Sébastien observait les houles dorées de soleil, la mer pleine de plaques éblouissantes, la foule grouillante des baigneurs en maillots de toute couleur... La beauté du ciel, de la terre et des hommes l'impressionna, et il n'osa dire ce qu'il pensait : que l'Être créateur existait en tout et au-dessus de tout. Il se rappela cette parole d'un philosophe moderne qui avait dit : " L'athéisme total conduit à la destruction même de l'homme qui le professe ". Ce philosophe avait cité l'exemple d'un personnage de roman russe qui avait passé sa vie à se prouver que Dieu n'existait pas. Quand, à force d'argumenter avec lui-même, il en était venu à se persuader tout à fait qu'il n'y avait pas de Dieu, il s'était dit : " Maintenant que je sais qu'il n'y a pas de Dieu, il faut que je sois Dieu moi-même. Or, l'attribut premier de cet être est l'indépendance complète. Il me reste maintenant à me prouver à moi-même que je suis le Maître en accomplissant le plus grand acte d'indépendance qu'il soit possible d'imaginer. Or, quelle est la chose la plus importante, quel est l'être suprême de qui il me faut me montrer indépendant, sinon moi-même, puisque Dieu, c'est moi ? " Et cet homme se prouva qu'il était absolument libre en s'enlevant la vie. L'athéisme ne porte en soi que le néant.

— S'il n'y avait pas de Dieu, pensait Sébastien, ce serait la destruction de tout.

Le soleil continuait à dorer les houles et à brunir la peau des belles filles qui passaient sur la plage.

*
* *

Mary restait associée à des contrebandiers qui, deux ou trois fois la semaine, venaient visiter la maison où elle vivait avec Pierre. Elle leur servait souvent d'intermédiaire, afin d'égarer les soupçons. Toujours vêtue avec un goût exquis, sans excentricité, elle avait cet air aristocratique et distingué qui ne révélait rien de son métier.

Elle connut la lie d'une grande ville. New York est un rêve d'orgueil et de matérialisme. On dirait que ses habitants ont voulu écraser l'esprit par la splendeur de la matière. La forêt de gratte-ciel pointés vers le firmament monte à l'assaut des étoiles. On y a mis beaucoup d'argent. Comme si l'argent pouvait abaisser la voûte de l'infini. Une foule de ces édifices superbes ont, à leur rez-de-chaussée, des temples d'une richesse inouïe, temples de la finance et de l'industrie, dont les colonnes imitent les styles religieux, et dont les tabernacles abritent le veau d'or à la place de l'Hostie. Cette frénésie de l'argent anime des milliers d'hommes qui s'enfièvrent à l'ombre des buildings géants. Mary, plus que toute autre, courait, avec une sorte de férocité, vers son dieu de métal.

Elle visitait les " slums ", les " speakeasies ", les maisons borgnes, les petits hôtels, les restaurants, les arrière-boutiques. Elle pénétrait tantôt dans des intérieurs d'un luxe ébouriffant, tantôt dans des réduits sordides, dont la puanteur aurait rebuté les plus grossières muqueuses. Partout, elle transigeait avec des individus à mine louche, à l'œil fuyant, la plupart métèques ou anciens repris de justice. Elle promenait dans la jungle humaine une beauté qui adoucissait les fauves.

Fait étrange pour une femme de cette condition, elle passait pour vertueuse. Elle élimi-
nait énergiquement l'amour de ses affaires.
Elle repoussait la galanterie de ses clients avec
un sourire de dédain, et quand on la pressait
trop, elle montrait les dents. Elle aimait vraiment Sébastien et son esprit d'indépendance lui
défendait le trafic de ses charmes. Elle portait
toujours un petit revolver dans son réticule.
Elle eut une fois l'occasion de s'en servir. Un
Allemand, propriétaire d'un hôtel borgne, s'é-
tait imaginé, après deux ou trois entretiens,
qu'il aurait facilement raison de la belle visi-
teuse. Un soir, il l'introduisit dans un cabinet
particulier où il avait préparé deux couverts
pour dîner. Elle remarqua tout de suite cette
attention insolite, mais n'en fit rien voir. Comme elle prenait congé, il lui dit :

— Je croyais que vous me feriez l'honneur
de dîner avec moi.

— Je vous remercie, dit-elle, on m'attend à
la maison.

— Bah ! Vous prétexterez un retard.

— Je vous en prie, inutile d'insister...

L'Allemand se leva, saisit Mary par la taille et voulut l'embrasser. Elle le repoussa rude-
ment.

— Je vous en supplie, murmura l'homme
d'une voix oppressée, accordez-moi cette fa-
veur. Je me meurs d'amour.

—Pas de sottises! Je venais par affaires. Rien de plus. Je dois partir.

Elle se dirigeait vers la porte quand, d'un mouvement vif, l'Allemand passa devant, tourna la clef et mettant celle-ci dans sa poche:

—Vous ne m'échapperez pas aussi facilement.

—Je vous prie de rouvrir cette porte.

—Je ne l'ouvrirai pas.

—Nous verrons bien! Et Mary ébranla la porte de toutes ses forces.

L'Allemand fonça sur elle, lui saisit les deux bras et l'entraîna vers un divan. Elle était de taille à se défendre. Se dégageant une main, elle ouvrit adroitement son réticule, en retira son arme et tira à tout hasard. L'homme poussa un gémissement et lâcha prise. Sans perdre son sang-froid, Mary lui enleva la clef et sortit précipitamment. Elle n'entendit plus jamais parler de lui.

A partir de ce moment, elle amena souvent Sébastien dans ses courses. Celui-ci avait su, au bout de quelques semaines, à quelle source de revenus s'alimentait le ménage. Il avait étouffé ses scrupules et accepté le produit du négoce.

Maintenant, il s'initiait lui-même. Il coudoyait la pègre et le monde interlope de New

York. Au début, certains visages lui répugnaient. L'histoire du criminel est écrite dans ses traits en caractères qui modifient la physionomie. On distingue généralement des autres les hommes qui ont employé leur triste énergie à ruser avec la loi et la société pour échapper aux mailles qui, d'année en année, de jour en jour, se resserrent sur eux. Il suffit d'examiner les galeries des criminels, dans les bureaux de la Sûreté, pour s'en rendre compte. Ces marques d'infamie n'échappaient pas à l'observation de Sébastien. Il s'y habitua à mesure qu'il se dégradait. Quelques-uns des individus dont le seul aspect lui déplaisait au début devinrent ses camarades, presque ses amis.

Mary avait ses entrées dans quelques "speakeasies" de mauvaise réputation. Elle y amena régulièrement son homme, à qui elle apprit à vêtir un smoking, porter haut de forme et canne, danser les pas nouveaux. Ces distractions saxophoniques achevèrent l'éducation de Sébastien. Il était devenu joli garçon. Plusieurs femmes s'entretenaient de Tony comme d'un jeune qui promettait. L'ancien mystique garde souvent dans ses traits, au fond du regard, un charme indéfinissable. Il fascinait malgré sa jeunesse. Il ne tarda pas à sentir la puissance magnétique que dégageait sa personne, et il résolut de dominer la société des bas-fonds.

Plus aucune timidité chez lui. Il buvait régulièrement et à grandes lampées, sans perdre la tête. Il devenait par instants d'une gaîté folle. Une fois, dans un "party", il se mit à chanter des chansons de son pays. Les mots français que scandaient un air enfantin et joyeux, la naïveté des refrains à rimes drues, le timbre sympathique de la voix, séduisirent les voisins de Sébastien. Parmi eux, un gangster renommé, White Devil, qui connaissait Mary, se pencha vers elle et lui dit :

— Voilà un garçon sympathique. Présentez-moi, voulez-vous ?

On trinqua en commun, on mangea, on fraternisa, pendant que des danseuses évoluaient, presque nues, sur le parquet, au son des saxophones et sous des projecteurs qui lançaient, sur les chairs en mouvement, les couleurs du prisme.

* *
*

Deux ans plus tard. Dans un sous-sol du quartier chinois, cinq hommes combinent un plan mystérieux. Le profane qui pénétrerait dans ce réduit en frissonnerait. Le mur du fond est un arsenal : fusils à répétition, revolvers, garcettes, bâillons... Par terre, une mitrailleuse.

— La voiture, disait White Devil, nous at-
tendra au croisement de la route. C'est un endroit désert. Si nous réussissons le coup, nous
y serons vers trois heures. Là, nous change-
rons d'automobile, avec bagage, et filerons vers
l'ouest, pour nous réfugier à la ferme des Smith,
où nous passerons la nuit. Personne, espérons-
le, ne nous y découvrira. Nous y demeurerons
deux jours, le temps de voir la tournure des
événements. Après quoi, nous nous en irons
tranquillement chez nous. Entendu ?

Le chef parlait d'une voix autoritaire et dure. Personne ne posa d'objection. La discipline
des gangsters ne souffre pas de résistance. Il
ne faut pas que l'on puisse mettre en doute la
loyauté d'un membre de la "gang".

— C'est toi, Tony, continuait-il qui nous at-
tendra, seul, dans l'auto, à la croisée des chemins. N'arrive ni trop tôt ni trop tard. Autre-
ment, nous serions finis. Si je te laisse en arrière, c'est que tu n'as pas l'habitude. Pas de
gaffes au moins ! C'est une question de vie ou
de mort.

— Je n'ai peur de rien ! répondit Sébastien
Pierre.

Chacun est armé. En route pour l'aventure ! On sait le reste. Quatre gangsters, en plein
jour, entrent dans une petite banque de la cam-

pagne, immobilisent personnel et clients à la pointe du revolver, vident la caisse et fuient avec une somme de vingt mille dollars. Les bandits s'éloignent en balayant la place à la mitrailleuse, sans tuer personne.

Les journaux racontent ce vol audacieux dans tous ses détails et annoncent des arrestations prochaines. Mais le coup a réussi. On ne pince personne. C'est bientôt une affaire classée.

Sébastien Pierre a manœuvré avec jugement et sang-froid. Dans la maison de ferme des Smith, complices largement rémunérés pour fournir une retraite au groupe, Mary l'a attendu, et, quand elle l'a vu revenir sain et sauf au volant de l'automobile, elle a battu des mains.

— Tony, mon brave Tony, je suis contente de toi !

— Voilà un garçon qui a de l'étoffe, dit White Devil en lui tapant sur l'épaule.

Sébastien souffre de la familiarité de ses compagnons rustauds et sans éducation, mais il veut se grandir dans le mal, aux yeux de son amour, comme il s'était grandi dans le bien, aux yeux de Dieu. Mary est désormais son Dieu, et il suit son abominable mystique. Elle lui a dit souvent :

— Il nous faut de l'argent, beaucoup d'argent, pour être heureux. Crois-tu que je sois

femme à travailler dans un petit bureau à quinze dollars par semaine, sous les ordres d'un
chef qui, vous trouvant jolie, veut vous faire
gagner du salaire supplémentaire en échange
du don de vous-même. J'aime mieux les bonnes
râfles de quelques milliers de dollars en une
journée, une heure... Et puis, il y a la passion
du risque. Nous jouons toujours à pile ou face.
C'est excitant!

Sébastien ne tarde pas à répondre au désir
de sa maîtresse. Il a appris que Mary et ses pareilles n'aiment vraiment que les victorieux. Il
veut vaincre. S'il se laisse conduire au début,
par des hommes qui ne le valent pas, c'est qu'il
est trop jeune et qu'il a besoin d'apprendre son
métier. Bientôt, il le sent, c'est lui qui guidera
la pègre. Il a de l'intelligence et du courage. La
force d'âme qu'il eut un jour à combattre ses
instincts mauvais, quand il habitait la cité divine, il la met aujourd'hui au service de l'enfer
où il est enrégimenté.

Sa supériorité s'affirme bientôt par un plan
habile autant que diabolique. Il propose à White Devil d'organiser une banque dont les gangsters eux-mêmes seront les promoteurs... Le projet est excellent, on l'approuve, on va le réali-
ser. On affuble un prospectus de deux ou trois
noms respectables, on fixe le capital et les responsabilités et, en peu de temps, l'affaire est

sur pieds. Le personnel de la banque est formé aux trois-quarts de complices. La maison fonctionne deux ans avec toute la façade de l'honnêteté. La clientèle afflue. Un jour que les voûtes et tiroirs regorgent de billets, on simule une râfle par des bandits. Les directeurs de la banque empochent tout. La police ne retrouve personne. Puis c'est la faillite. On n'en parlera plus. Tony Jackson a fait un coup de maître.

Quelques membres de la "gang" deviennent cependant suspects et sont surveillés. White Devil se sent serré de près. Des limiers de l'autorité connaissent ses allées et venues. Il appréhende une trahison. Une nuit qu'il transporte, en automobile, de l'alcool de contrebande à destination de New York, il s'aperçoit que des agents le suivent. Il accélère. Les motocycles accélèrent aussi. Course éperdue à travers la campagne. Devil entend des coups de feu. Trois balles traversent la carrosserie de sa voiture. Il commande à son compagnon, assis à côté de lui :

—Tire donc, animal! Ne vois-tu pas qu'il faut les tenir en respect?

La pétarade continue. Puis, à un tournant, un choc, un fracas, un saut dans un champ. L'auto des bandits a frappé une charette de paysan, tué cheval et conducteur. White Devil, projeté à vingt-cinq pieds, donne de la tête con-

tre une pierre. Sa cervelle jaillit par plaques
sanguinolentes. L'odeur du sang et de l'essence se mêle à la senteur de l'alcool.

*
*   *

Tony Jackson devient, par le fait, chef de
la bande. En apprenant la mort de son maître,
il se montre impassible. Il pense en lui-même :
" Il l'avait bien mérité ". Puis il entre dans une
morne méditation :

— Tu as l'air préoccupé, lui dit Mary.

— Oui. Un danger nous menace. Quelqu'un
a trahi White Devil, et celui-là est un des nô-
tres. La police n'aurait pas suivi mon chef sans
une dénonciation.

— Sais-tu qui ?

— Je le soupçonne. Quand j'aurai mes preuves, le délateur sera jugé et sa peau ne vaudra
pas ça.

Ce disant, il fait claquer son annulaire contre son pouce. Il est froidement résolu à tuer.

Sébastien fait son enquête. Il apprend, par
ses espions, que le nommé Little John, qui s'est
accoquiné avec White Devil durant les trois
derniers mois, sert de " Stool Pigeon " à la police. Coûte que coûte, il faut se défaire de lui,
et vite.

Little John, petit homme au teint jaune, aux yeux bigles, ne connaît à peu près rien de Tony. Tout au plus de vagues soupçons qu'il s'apprête à confirmer. Il ignore aussi que son jeu est découvert. Un soir, simulant le hasard, il rencontre son homme dans un "speakeasy". Il se présente lui-même sous prétexte de demander l'heure.

—Une heure du matin, dit Tony.

—Le temps passe vite. Le spectacle est si amusant!

—Vous êtes seul, comment pouvez-vous vous amuser? Vous devriez vous joindre à nous... N'est-ce pas Mary?

Sébastien a reconnu le traître. " Je le tiens, pense-t-il, il ne m'échappera pas ".

Little John invite Mary à danser. Tous deux tournent dans un remous de couples enlacés. Tony les suit des yeux. " C'est vraiment la danse macabre ", songe-t-il. " Ce mouchard en smoking a mauvaise mine. Au bras de Mary, on dirait une larve, une glu, sur une fleur bleue. Une larve! C'est bien ça. Tout à l'heure, ce sera moins qu'une larve. Avorton nourri du produit de la trahison! Tu vaux moins que la grue qui vend son corps pour acheter son pain et ses chapeaux. Pourquoi vis-tu, pourquoi tiens-tu à vivre, puisque tu n'as pas même été fidèle à l'honneur du bandit que tu as toujours été? Cet honneur était assez triste sans que tu y ajoutes la honte de vendre tes frères. Il y a du courage à violer les lois de Dieu et des hommes, quand on y risque tous les jours sa vie et sa liberté. Ceux-là du moins sont des hommes qui persévèrent dans le charnier des damnés. Leur âme a la grandeur du mal et la puissance de la suprême laideur... Mais toi, mouchard et traître, tu n'es qu'un amas de lâcheté et de petitesse. Les lâches, où qu'ils soient, n'ont pas droit à la vie. Je te pardonnerais ta vile action, si tu l'avais faite par conviction et par vertu, mais le baiser de Judas, tu vas le payer!"

Mary, passant tout près, au bras de son danseur, regarde furtivement Sébastien. Elle a l'intuition des pensées qui agitent l'âme de son amant. Elle prononce des paroles cruelles, que Little John ne comprend pas:

— Vous aimez beaucoup la vie?

— Ce soir, oui, puisqu'elle me permet de danser avec la plus jolie femme de New York.

— Profitez-en! Cette danse ne recommencera jamais... L'heure de joie que vous passez ne se renouvellera peut-être plus. Tony fredonne parfois une chanson qui m'impressionne. Chaque refrain finit par ces mots: "Que l'heure est donc brève!"

— On dirait, madame, que vous venez d'entendre un sermon sur nos fins dernières.

— Non. Je n'ai pas entendu de prêche depuis quinze ans. Mais il me plaît de dire à quelqu'un combien il importe de jouir de l'instant
qui passe, de peur que ce soit le dernier. Cher-
cheuse de sensations étranges, je me représente avec une certaine volupté que l'homme qui
danse avec moi, qui attend le spectacle de tout
à l'heure, pour voir de la vie, qui boit le plaisir
par tous ses sens et toutes ses pores, qui flotte
au gré de tous les désirs, sera, après la fête,
plus aveugle, plus muet, plus sourd, plus insen-
sible, plus inutile, plus répugnant et aussi inerte que cette petite table que nous bousculons
du pied.

— Cela vous amuse?

— Follement.

— Eh! bien, amusez-vous... Et si la même
chose vous arrivait, à vous?

— Moi, ô moi, j'espère que mon heure n'est
pas venue.

On quitte le café vers trois heures du matin.

— Si nous allions causer chez moi? propose Little John.

— Volontiers, dit Tony. Mais j'irai seul.
Mary rentrera à la maison.

Les deux hommes pénètrent dans un étroit
garni, dont le désordre et la pauvreté trahissent

la gêne du locataire. Le métier d'indicateur n'enrichit pas.

John sort d'un tiroir une bouteille de cognac.

— Connaissez-vous cette marque? dit-il. C'est du bon, vous verrez. Un souvenir de ce pauvre Devil. Je l'ai bien regretté. C'était mon meilleur ami.

— Oui, je sais que vous l'aimiez... que vous l'aimiez jusqu'à la mort.

— En effet, j'aurais risqué ma vie pour la sienne.

— Avez-vous lu le grand drame *César,* de Shakespeare?

— Je n'ai jamais rien lu. J'ai quitté l'école à l'âge de douze ans. Ensuite, j'ai passé la moitié de mon temps dans la prison.

— C'est dommage. Il existe, dans cette pièce, des passages qui me rappellent exactement ce que vous avez fait pour White Devil. Un nommé Brutus est le meilleur ami de César. Et c'est ce même Brutus qui tue César...

— Que voulez-vous dire?

— Laissez-moi finir. Le corps de César est exposé sur la place publique, et Brutus prononce son panégyrique: "Je l'aimais, dit-il, mais j'aimais plus encore Rome. C'est pourquoi je l'ai tué... Il était mon ami".

— Pourquoi racontez-vous cette histoire?

— Parce que vous avez dit que White Devil était votre ami. C'est comme Brutus.

— Où trouvez-vous le rapprochement?

— Je n'en trouve guère, car Brutus avait tué César de sa propre main et par amour pour quelque chose de plus grand que lui-même... Tandis que vous...

— Allez-vous dire que j'ai tué White Devil?

— Vous l'avez fait tuer. C'est la même chose.

— C'est une infâme calomnie!

— Assez! Vous allez le payer!

Sébastien pointe son arme vers la poitrine de John. Celui-ci, devenu livide, veut faire un mouvement vif, pour échapper à son justicier. Le coup part. L'homme aux yeux bigles s'affaisse dans un fauteuil profond. Un ruisselet écarlate coule sur le jabot blanc de la chemise.

Tony va rejoindre Mary qui l'attend. Il fait à pied les deux milles qui le séparent d'elle. L'air de la nuit lui fait du bien. Il est maintenant calme.

*   *
*

L'argent entrait à flots chez Jackson. Il dépensait tout à mesure, jouissait d'un grand luxe. Mary ne le quitterait jamais, songeait-il. Il

avait satisfait tous ses désirs. Quand elle paraissait dans la rue, elle éblouissait les passants
par la richesse et le goût de sa toilette comme
par sa beauté blonde. Grande, svelte, aisée dans
sa démarche, elle excitait la convoitise des hommes.

Tony et Mary avaient quitté leur premier
logis pour un appartement ultra-moderne, dont
le prix du mobilier aurait fait vivre plusieurs
années une famille d'artisans.

Le jeune homme ne s'attardait jamais longtemps dans cette maison tranquille et trop douce, où la pensée du passé l'assaillait sans qu'il
pût s'en défendre. Pour éviter de réfléchir, il
cherchait le mouvement, l'agitation... Il n'entrait guère chez lui que pour les besoins du
sommeil et de l'amour. Il ne fallait pas que sa
gaîté de surface l'abandonnât. C'est pourquoi
il passait ses nuits d'abord dans les théâtres, ensuite dans les boîtes où l'on dansait, buvait et
voyait du burlesque. Quand, par hasard, il se
trouvait seul avec lui-même, dans son trop pa-
cifique appartement, les images anciennes re-
naissaient. Sa mère, Rosemonde, lui semblait-
il, le regardait avec des yeux pleins de repro-
ches et de douceur, tandis que son père, le sévère René Pierre, s'apprêtait à le maudire. Le
Père Carrier lui-même visitait ses souvenirs.
Sébastien souriait en répétant mentalement les

dernières recommandations du prêtre: "Evite
la compagnie des femmes". "Le meilleur voyageur pèche sept fois le jour"...

Le jeune homme ne revenait que fugitivement à ce passé mort.

Il aurait aimé, parfois, à plonger dans le
souvenir et le regret. Le remords est l'âcre consolation des âmes désaxées, qui boivent farou-
chement cet acide. Mais la tristesse, même fugitive, exaspérait Mary.

—Pourquoi prends-tu cette mine déconfi-
te? Es-tu las de ma compagnie? Voudrais-tu
retourner parmi tes enfants de chœur?

Sébastien secouait sa pensée secrète et disait:

—Ce n'est rien. Un peu de fatigue. Je t'assure que je ne regrette rien. Je suis très heureux.

Les tournées nocturnes à travers la ville
aux mille reflets reprenaient de plus belle. Les
deux amants s'attardaient sur le Broadway,
dont l'illumination féerique ne lassait pas leur
regard. Le scintillement intermittent des affi-
ches multicolores, le mouvement des lettres et
dessins de feu, qui couraient d'une extrémité à
l'autre de la grande rue, le jeu des milliers de
phares d'automobiles, tout cela chloroformait
l'inquiétude ou le souvenir, les soulageait en les
délivrant d'eux-mêmes. Dans un de ces moments, Sébastien remarqua:

— N'est-ce pas curieux? Nous passons ici des mois sans voir d'étoiles.

Il n'osa poursuivre tout haut sa pensée, car il se rappelait les beaux soirs canadiens, alors que le ciel froid et pur est si chargé d'astres qu'on dirait les flammèches innombrables d'un univers incendié au fond de l'infini. Mary éloignait sans cesse Tony de son passé. Elle était trop fière de son œuvre de décomposition pour la laisser détruire. Alors, on était entré dans un théâtre où une petite chanteuse de café-concert disait une chanson de genre en laissant tomber, à chaque couplet, un morceau de ses légers vêtements.

*

* *

Les années passaient. Sébastien et Mary vivaient de rapines, dans une impunité qui, aux yeux de plusieurs, ressemblait à du bonheur. Ce jeu dangereux ne pouvait durer. La police américaine n'avait pas encore réussi à surprendre le jeune gangster à qui l'intelligence et la culture inspiraient mille moyens d'échapper aux recherches; mais on l'observait prudemment. On savait qu'il entretenait une femme dans le luxe, qu'il vivait en grand seigneur, bien qu'on ne lui connût aucun métier, aucune tâche suivie. Les soupçons se fondaient d'autant plus qu'on ne connaissait rien de l'état civil de ce

jeune désœuvré. On avait obtenu que le service
de l'immigration le laissât tranquille dans l'espoir de découvrir, par lui, une "gang" toujours insaisissable. A la fin, Sébastien ne se
méfiait pas assez.

— S'il m'arrivait de faire prochainement
une bonne râfle, dit-il un jour à Mary, nous
ferions le tour du monde. Ça nous changerait
de milieu. Mes compagnons m'ennuient.

— As-tu un plan?

— Tu connais le vieux Flynn?

— Oui. Pourquoi?

— Il est archimillionnaire.

— Peux-tu tirer quelque chose de lui?

— Il suffirait de l'enlever.

— Excellente idée. Comment t'y prendrais-
tu?

— Tu sais que sa fille demeure à l'autre extrémité de Brooklyn. Nous téléphonerons à son
père, un de ces soirs, qu'elle est à l'article de la
mort et que, s'il veut la voir vivante, il se ren-
de tout de suite à son chevet. Nous ajouterons
qu'une automobile l'attend à sa porte pour le
transporter d'urgence. Le chauffeur de la voiture sera un de mes hommes. Sur le siège arrière seront deux autres de la bande. Tu ima-
gines le reste. On bâillonne et ligote le vieux,
on le conduit dans la campagne, à la ferme des
Smith. Je me charge de la rançon.

— Combien ?

— La famille ne s'en tirera pas à moins de deux cent mille dollars.

— J'en suis ! Mais ne rate pas le coup. C'est dangereux.

— Le danger ! Avons-nous respiré autre chose que le danger, depuis que nous vivons ensemble ? Pourquoi le craindrais-je plus aujourd'hui qu'hier ? Je vais maintenant tête baissée dans cette voie où tout me pousse, toi et la fatalité.

— Tu es vraiment un homme, Tony !

— Je suis plus qu'un homme, je suis un démon !

Il se rappela la parole de son ancien maître : "L'ange tombé".

Par coïncidence, Flynn avait reçu plusieurs lettres de menace au cours des dernières semaines. Il en avait averti la police, et des agents vêtus en civil surveillaient les abords de sa maison. Ils avaient ordre d'être toujours sur les talons du vieillard.

Le soir dit, quand leur protégé descendit les marches de pierre qui conduisaient de sa maison dans la rue, les agents eurent l'intuition du danger qu'il courait et, se dissimulant de leur mieux, examinèrent attentivement l'automobile et ses occupants. Quand ils aperçurent deux individus au fond de la voiture, au moment où la porte s'ouvrait pour l'entrée du vieillard, ils approchèrent vivement et demandèrent à Flynn s'il voulait être accompagné. On leur ferma la porte au nez et le chauffeur démarra violemment.

— Suivons-les! dirent les agents. Et, enfourchant une motocycle, ils filèrent. Les gangsters ne s'aperçurent pas de cette poursuite, qui restait distante et discrète. Les doutes des officiers se précisèrent quand l'automobile se dirigea vers la campagne.

A la sortie de la ville, l'obscurité permit aux bandits de remarquer qu'on les suivait. Les phares de la motocyclette trahissaient l'approche des agents.

— Nous sommes découverts! dit l'un des gangsters. Si on nous rattrape, il faudra livrer bataille ou bien nous laisser pincer avec ce vieux, qui devient embarrassant.

— Maintenant qu'ils nous ont, dit un autre, il n'y a rien à faire avec Flynn. Déposons-le au bord de la route!

— Si nous stoppons, nous sommes pris.

— Alors, jetons le vieux par la porte, sans ralentir. Il en réchappera.

Sans plus réfléchir, les deux gaillards empoignèrent le milliardaire lié et bâillonné et le lancèrent vers le fossé. En tombant, il heurta violemment un garde-boue et se fracassa le crâne.

Les agents stoppèrent pour secourir le vieillard. Mais l'un d'eux dit à son compagnon:

— Laisse-moi seul ici et continue! Ne les perds pas de vue.

Les ravisseurs furent bientôt rejoints. Ils accélérèrent et firent du quatre-vingts à l'heure. L'agent avait de l'œil et du sang-froid. Il profita d'un moment où on traversait un village pour tirer quelques balles de revolver dans les pneus de l'automobile. Il atteignit le but. La population fut alertée, et, quelques arpents plus loin, l'automobile s'arrêta. Les trois bandits sortirent précipitamment pour fuir. Plusieurs coups de feu retentirent. Les balles se perdirent dans la nuit. L'agent demanda du secours de quelques jeunes gens. Ceux-ci se mirent à la poursuite des fuyards, qui avaient gagné un champ voisin. Un gaillard qui, par curiosité autant que par bravade, les serrait de trop près, reçut un coup de feu dans le ventre. On avertit la police de la ville voisine et on garda toutes les avenues. Les bandits attendirent dans une grange la venue du matin. Au petit jour, ils s'aperçurent que toute issue était fermée comme un cul-de-sac. Ils se rendirent.

L'affaire fit grand bruit. Les journaux annoncèrent la mort de Flynn avec une fantastique abondance de détails. Sébastien Pierre, à la ferme des Smith, eut nettement l'impression que le coup était raté, quand, le jour venu, ses hommes ne paraissaient pas encore. Il résolut de ne pas bouger. Il savait qu'il n'était pas prudent pour lui de retourner à la ville. Ses complices arrêtés, une dénonciation forcée était à craindre.

Le lendemain midi lui parvinrent les premières nouvelles du drame. "Toute la bande est coffrée, lui dit-on. Accusation de tentative d'enlèvement et de double meurtre". Le soir, un journal lui tomba sous la main. A la fin du récit de la tragédie, il lut : " Les gangsters ont fait des révélations et dévoilé le nom de leur chef. Celui-ci sera bientôt arrêté".

— Ça y est ! pensa-t-il. Il ne me reste qu'à fuir.

Sébastien changea d'habit, sauta dans un automobile d'emprunt et fila seul vers la frontière canadienne.

Par bonheur pour lui, celui de ses compagnons que l'on avait induit à dénoncer son chef, par la pratique du " third degree", n'avait pas révélé que le rendez-vous des gangsters, la nuit du crime, était la ferme des Smith. La police momentanément dépistée, Sébastien eut le temps de gagner le Canada, où il espérait se réfugier dans une grande ville. Il passa par Jackman, pour mieux égarer les recherches. Il franchit la douane sans encombre. Bientôt, il vit défiler devant lui les paisibles villages de son pays.

Il s'attarda dans la Beauce et passa deux jours entiers dans un petit hôtel, au bord de la rivière Chaudière, qui l'intéressait par ses méandres et ses rapides. Depuis des années, il ne parlait que l'anglais. Mais maintenant qu'il était dans sa patrie, il s'exerçait au français, avec un léger accent étranger. En parlant constamment cette langue, il éloignerait les soupçons, car la presse du pays faisait grand bruit avec le meurtre de Flynn, qui avait une renommée mondiale.

Au moment de quitter l'hôtel, il lut dans une feuille québecoise: "Il est rumeur que Tony Jackson s'est réfugié au Canada. On offre une récompense de cinq mille dollars à qui le prendra, mort ou vif". Plus loin, cette note: "Une femme du monde, Mary Curtis, est gardée comme témoin". Sébastien poursuivit sa route avec le pressentiment d'une fin prochaine.

Où allait-il? Il ne le savait guère. Il avait d'abord résolu de gagner Montréal. Il se ravisa: c'est dans cette ville sans doute qu'on le rechercherait; la région de Québec offrait plus de sécurité. Il aimait d'ailleurs la campagne tranquille, où l'été canadien a tant de fraîcheur. Dans les champs, des marguerites à perte de vue. Les tons verts des arbres, depuis la claire feuille des bouleaux jusqu'à l'aiguille luisante et foncée du sapin, se nuançaient à l'infini. Il

n'avait rien vu de pareil depuis dix ans. Il re-
connaissait tous les oiseaux du pays, la grive
rousse, le chardonneret, le goglu, le pinson
chanteur... L'air qu'il respirait lui embaumait
le sang. Toute la terre sentait bon.

Il ne s'attendrissait pourtant pas. Des sensations trop fortes avaient émoussé sa sensibilité. Autrefois, ses sentiments étaient délicats ;
infiniment subtils, ils mesuraient l'impondéra-
ble. Maintenant, Sébastien se serait cru désho-
noré s'il avait cédé à un beau et bon sentiment.
Chez un enfant vibrant, dont les sens et l'imagination n'ont reçu qu'à doses normales les impressions de la vie, les nerfs et le cerveau sont
comme une de ces balances de haute précision,
dans lesquelles on peut peser un léger trait de
crayon tracé sur un papier de Chine à peine
grand comme l'ongle. Cette balance humaine
est d'autant plus fragile qu'elle est faite de ma-
tériaux infiniment ténus. Une poussière les dérange. Jetez-y des poids trop lourds, les fléaux
se rompent et aucune main ne saurait la réparer. Il en était ainsi de Sébastien. Les jolis villages de la Beauce, qu'on dirait peints au flanc
des collines, le long d'une rivière capricieuse,
ces groupes de maisons claires, autour d'un
clocher découpé nettement, avec ces reflets
d'argent, sur le bleu du ciel, ne lui inspiraient
plus les élans de sa jeunesse. Son âme avait été

trop délicate pour résister au choc du mal : elle était non seulement dépoétisée, mais broyée. Les anciens ascètes parlaient de cet état particulier qu'ils appelaient l'endurcissement du pécheur. L'image est rigoureusement vraie.

Deux pensées seulement l'occupaient : Mary et la mort. Il n'était plus qu'à cinquante milles de la maison de sa mère, qui l'avait autrefois bercé, caressé, choyé. Il n'y pensait qu'avec indifférence. Toute une partie de sa vie était morte ou paralysée.

— Pourvu qu'il n'arrive rien à Mary, pensait-il. Je devrais peut-être retourner auprès d'elle, dussé-je aller ensuite à la chaise électrique.

Mais cette idée de l'exécution capitale lui répugnait.

— Je mourrai de mort violente, c'est écrit, songeait-il, mais pas de cette mort-là. Rien qu'à y penser, j'en ai froid dans les os.

Avait-il une chance sur cent d'échapper à la justice ? Il ne l'espérait guère. Assassin, complice de plusieurs meurtres, il avait commis à peu près tous les actes de banditisme et de fraude de son temps. Celui de ses compagnons qui l'avait dénoncé n'avait plus aucune raison de s'arrêter dans ses aveux. Pourquoi le délateur ne raconterait-il pas le détail de son extraordinaire carrière de gangster ? Le monde entier allait s'occuper de Tony Jackson. C'est avec un peu d'orgueil qu'il pensait à ces choses. N'était-il pas le héros du jour ? Son nom ne couvrait-il pas, de sa rumeur redoutable, toute l'Amérique du Nord ? N'était-il pas la terreur des foyers bourgeois, où les femmes nerveuses, en se couchant, le soir, croyaient voir, à travers leurs fenêtres, son ombre gigantesque, tendant des mains dégouttantes de sang ? Cette abominable gloire ne le contristait pas.

L'amour de la vie le tenait encore. Il prenait instinctivement les moyens élémentaires pour échapper à la seine policière. Avant d'atteindre les hauteurs de Lévis, l'idée lui vint que son automobile pouvait servir à l'identifier. Il la remisa dans un petit garage de village. Il avait apporté, dans son sac de voyage, un vieux complet qui lui avait servi de déguisement. Il le revêtit, et, transformé ainsi en chemineau, partit sur la grand'route. Pour bagage, il lui restait un revolver et quelques milliers de dollars. Il marcha en contrefaisant les vagabonds mendiants. Puis, la faim le tenaillant, il entra dans une maison de ferme et demanda à manger. On lui servit de la soupe, du pain, des œufs, du sirop d'érable. Il pensa aux fins dîners qu'il prenait, quelques jours plus tôt, au Ritz, en compagnie de Mary et d'un couple fort

joyeux. Le repas avait retenti de tant d'éclats de rire que tout le monde avait envié la gaîté de ces dîneurs.

C'était un des beaux soirs de fin de juillet. La chaleur du jour tombé se perdait dans l'ombre piquée d'étoiles. Le voyageur refusa le lit qu'on lui offrait et continua sa promenade à travers la campagne. Où coucherait-il? Il allait au hasard. Il était près de onze heures quand il avisa une grange, non loin du chemin, et décida d'y passer la nuit. Le clair de lune le guida. A l'entrée, une odeur de paille et de fumier. En tâtonnant, il découvrit une botte de foin sur laquelle il s'étendit. Il était las. Il revit en imagination sa riche et moelleuse chambre à coucher de New York, avec son lit très bas, où l'amour et le sommeil se donnaient rendez-vous, chaque fin de nuit. Il se mit à parler tout seul. Il avait besoin d'entendre une voix, ne fût-ce que la sienne. Il se posait des questions et se répondait:

— Sébastien, tu t'écriais un jour: "Vive la vie!" L'aimes-tu toujours, la vie?

— Si le bonheur consistait à éprouver toutes les sensations, sûr que je l'aimerais.

— Hier, grand seigneur, aujourd'hui, mendiant. Qu'en dis-tu?

— Ennuyeux, mais intéressant, mais oui, intéressant pour moi, qui n'ai jamais aimé les choses banales. Fi des bourgeois!

— Et cette odeur de crottin?

— Je préférerais franchement le parfum de Mary. Pauvre elle! Ce soir, mon sort est préférable au sien. Moi, je suis encore libre. Je vois des étoiles à travers la porte de mon palais de planches. Elle, dans son noir cabanon... En prison! En prison!...

Il achevait ces mots quand il entendit remuer près de lui. Il crut que c'était un chien.

— Dehors, sale bête!

— Dis donc, l'ami, tu ne pourrais pas aller faire de la poésie ailleurs.

— Qui est là?

— Tout le monde m'appelle Gaston la Patte. Je n'ai qu'une jambe et je voyage par affaires.

— Vous m'avez fait peur!

— Pas de "vous" entre hommes du même métier. Je quête, tu quêtes. On est amis. D'où viens-tu?

— J'ai fait la Beauce, dit Sébastien à tout hasard.

— Est-ce qu'on t'a donné beaucoup? Assez pour prendre une cuite au moins... Moi, j'ai passé une journée à quêter à Saint-X., sur la rive nord. On n'est pas donnant, par là. Un

sou par ci, un sou par là. Mais on mange bien...
Il me manque une jambe, heureusement. Les
femmes s'attendrissent et me traitent poliment.
Quant aux hommes, ils m'ont donné plus d'un
coup de pied au cul. Ils me reprochent de faire
la noce... Pensent-ils qu'on s'amusera pas parce qu'on est pauvre? Ce que je m'en f...! Hier
encore, je me suis acheté un cinq demiards et
je l'ai tout bu avec Philomène, qui tient maison... Ce que nous avons rigolé! Veux-tu son
adresse?... Je crois que ma jambe coupée l'ex-
cite. Ha! Ha! Ha!

— Connais-tu les gens par leur nom, à
Saint-X.? demanda Sébastien.

— Presque tous. Il y a les Gauthier, les
Mercier, les Gagnon, les Morisset, les Bédard...
Pourquoi te les nommer tous? Ça n'a pas d'im-
portance.

— Oui, j'y vais demain.

— Alors, je te conseille d'aller manger chez
les Pierre. C'est du monde chic et pas regardant... Derrière la maison, il y a un poulailler.
Un soir que je passais par là, il me prend l'envie d'aller déranger le coq. J'entre. Les poules
se sauvent avec un caquetage à réveiller tout
le village. Je fouille tous les nids. Il y avait des
œufs partout. J'en avais plein mes poches. J'allais sortir quand je me trouve face à face avec
le père Pierre, qui me dit:

— Qu'est-ce que tu fais ici?

— Je me cherche un endroit pour coucher.

— Tu manques d'esprit, mon pauvre Gaston. A ton âge, tu devrais savoir que les hommes ne couchent pas sur des perchoirs. Et puis, sais-tu que tu as engraissé, depuis cet après-midi?

En disant ça, il regardait mes poches, toutes gonflées. Alors, j'ai avoué. Je lui dis que je lui rendrais tous ses œufs, que je ne recommencerais plus, s'il n'en disait rien à la police... Tu sais, la prison, j'aime ça l'hiver. Même je fais des coups pour y entrer. Mais l'été, non, j'aime mieux dormir dans les granges, comme ça.

Le père Pierre, s'est fâché, tu penses? Ah! bien non! Il m'a tapé sur l'épaule en disant:

— Garde les œufs, à la condition que tu me les demandes, une autre fois, et que tu laisses mes poules tranquilles. Quant au lit, il y en a un bon qui t'attend, chez moi. Entre, canaille!

Depuis ce temps-là, le père Pierre et moi, on est amis. J'volerai jamais chez lui. Des vols, j'en ai fait partout ailleurs. La semaine dernière, une belle montre m'a tombé sous la main. J'en ai fait quinze piastres et j'ai passé deux jours avec la Philomène.

Pour la première fois depuis son entrée au pays, Sébastien éprouvait une émotion fugitive. Il revoyait le foyer familial à travers les paroles de ce dégénéré, qui reposait près de lui.

Il l'avait écouté avec mépris raconter les petites rapines de la mendicité, lui qui s'enorgueillissait de râfler en un soir de quoi assurer une pension perpétuelle à cent rentiers de la campagne. Mais l'évocation du vieux foyer l'avait remué.

— Les Pierre, continua Gaspard, c'est du monde qui est toujours à l'église. Ils ont perdu, il y a des années, leur premier garçon, qu'on dit un saint. Il avait brûlé dans un gros bateau. Quand ça fut éteint, le père est allé chercher les os brûlés qui restaient. On a dépensé au moins mille piastres pour ces os-là. Je me disais dans le temps : "Pourquoi donne-t-on pas tout cet argent aux pauvres gens?"... Entre nous, ça doit pas être agréable de mourir brûlé.

Sébastien ne répondit pas. Bientôt, les deux vagabonds ronflaient. Le soleil du matin, entrant à pleine porte, les réveilla. Sébastien, regardant son compagnon, reconnut le mendiant qu'il rencontrait autrefois, dans le voisinage du collège, et à qui il donnait souvent des sous pour l'amour du bon Dieu.

*
* *

Le fugitif séjourna quelque temps dans un petit hôtel de la ville basse, à Québec. Un désir le tenait : visiter la maison paternelle. Il se laissa pousser la barbe et fut tout à fait méconnaissable. Il importait beaucoup que personne ne pût l'identifier. Il voulait, sous la figure d'un gueux quelconque, revoir les visages autrefois aimés, surtout sa mère, le seul être qu'il eût regretté au moment de tout quitter pour suivre la fatale Mary. Sûrement, Rosemonde ne reconnaîtrait plus son fils. Son visage, sa voix, son accent, ses allures, tout était changé en lui. Son âme ancienne n'existait plus : la physionomie reflétait le mal.

Les Pierre s'apprêtaient à souper, quand on sonna à la porte. Rosemonde ouvrit et se trouva en présence d'un mendiant jeune et solide, qui demandait l'aumône d'un repas. Elle le conduisit dans la cuisine, où elle commanda à la bonne de le servir. De la petite table à laquelle il était assis, il voyait, dans la salle à manger, toute la famille réunie. Là-bas, au bout, son père. A sa gauche, son frère Irénée. Aux autres places, un deuxième frère et ses deux sœurs. Comme autrefois, il entendit le Benedicite, et il vit René diviser les portions pour chacun. La mère, debout, servait le potage, puis la viande, puis le thé. Au mur, tout autour de la salle, pendaient des images saintes. Au milieu de ces pieuses figures, il reconnut sa propre photographie.

Irénée parlait d'une cause de meurtre qu'il était à éclaircir. Détective de la Sûreté provinciale, il s'acquittait de sa tâche avec un zèle presque fanatique. L'année précédente, il avait piégé si habilement un criminel dangereux et insaisissable, qu'il avait réussi à accumuler des preuves accablantes contre lui et à le faire emprisonner pour la vie. Il en tirait beaucoup d'orgueil.

— Avez-vous d'autres nouvelles du gangster? demanda Rosemonde.

— Les journaux américains se perdent en suppositions et en rumeurs, répondit Irénée. A les en croire, on l'aurait vu partout. C'est un malin, ce Tony. Il est le seul de la bande qui n'ait pas été coffré... On le croit réfugié au Canada. C'est possible. La Sûreté de New York nous a expédié cinq de ses photos, toutes prises sous différents angles. J'ai étudié ces photos...

— Je ne puis comprendre, reprenait Rosemonde, qu'il y ait des êtres aussi méchants. Je remercie Dieu tous les jours de m'avoir donné de bons enfants.

— C'est une affaire d'éducation, disait René Pierre. Si j'avais mal élevé mes garçons, le même déshonneur aurait pu m'arriver.

Irénée ne parlait plus. Sébastien sentit peser sur lui le regard de son frère. Il se détournait, pour ne pas livrer tout son profil. S'il allait me reconnaître! pensa-t-il.

Le souper terminé, toute la maisonnée se réunit dans le boudoir, devant un crucifix.

— Hé! l'ami, venez faire votre prière en famille, dit René.

Sébastien s'agenouilla au milieu de ses frères et sœurs, derrière sa mère.

On dit des "Ave", des "Pater".

— Je vous salue, Marie....

Et les réponses se terminant par ces mots si doux et si humbles "....priez pour nous, pécheurs, maintenant et à l'heure de notre mort. Ainsi soit-il."

Et le "Pater": "..... pardonnez-nous nos offenses comme nous pardonnons à ceux qui nous ont offensés..." Sébastien se souvenait de ces mots qui avaient embaumé son enfance. Il ne sentait plus comme autrefois, car Dieu l'avait abandonné. Mais il était ému. Comment ne pas l'être?

Plus intensément fut-il empoigné, quand, levant les yeux, il aperçut sa propre image, au bas du crucifix. On priait devant lui, devant son souvenir toujours présent, devant son âme simple des jours pieux, alors que sa conscience était si sensible, si délicate que l'ombre d'une pensée profane ne pouvait l'effleurer sans l'épouvanter.

Quand René Pierre se tut, la voix de Rosemonde, vibrante, toujours musicale, s'éleva.

"En mémoire de Sébastien, qui, de votre
ciel, nous regarde, acceptez, Jésus, cette prière:

"Mon Dieu, créateur de toutes choses, Père de la lumière et des étoiles, Père de la terre
et des hommes, Vous qui avez fait mon père,
ma mère, mes frères, mes sœurs, Vous qui m'a-
vez fait et m'avez tout donné, sans qui je ne
suis rien et ne puis rien, Vous qui avez donné à
mon âme la grâce divine...."

Sébastien Pierre reconnut la prière qu'il
avait faite, à dix-sept ans, dans un élan vers
l'Infini. Il en frissonna.

La voix de Rosemonde continuait, tranquille et douce. Sur ses traits, la paix et la sérénité des élus. Rosemonde, c'était la vie droite et
pure. Le rêve de perfection qu'elle avait formé
pour son fils, elle l'avait réalisé en elle-même.
Elle ne le savait pas: les saints ne savent jamais ces choses. Et elle rendait au disparu
l'hommage qu'elle seule méritait. Dans un monde brûlé de passions et de concupiscence, labou-
ré d'orgueil, d'envie, de colère et de luxure, elle
ne connaissait que le culte de son Dieu et de sa
famille. Les innombrables pestilences de la vie
avaient tournoyé en rafales autour de sa modeste auréole: elles ne l'avaient pas touchée...

Tout ce qu'elle avait fait, elle l'avait bien fait.
Elle avait fait Sébastien, il est vrai, mais cette
action de mettre un enfant au monde n'est pas
un acte de volonté. Et quelle femme sait les vir-
tualités immenses du fruit qu'elle porte en son
sein? Dieu même porta en lui l'ange des anges, et ce chef-d'œuvre de l'Incréé devint Lu-
cifer....

L'homme qui se tient derrière toi, Rosemonde, est voleur, fornicateur, assassin, révol-
té, impie. Il est en horreur au ciel et à la terre.
Il est celui-là même que tu sentis tressaillir en
toi, un jour de ta jeunesse, celui-là même que
tu pries aujourd'hui sous la figure d'un adolescent pâle et bon. Cet homme, c'est toi qui l'as
fait, toi qui l'as nourri d'abord de ton sang,
puis de ton lait, puis de ton âme. Mais les mouvements de sa volonté, ses tendances profondes, son tempérament d'extrémiste du bien ou
du mal, il ne les tient que de la vie... et de lui-
même. Heureuse es-tu de ne pas savoir, la vérité! Tu n'as pas mérité cette douleur. Qui donc
a dit qu'il ne fallait jamais mentir? Il est des
vérités mauvaises, et celle-là en est une, car, te
la révéler serait détruire en toi une pensée si
profondément enracinée que, sans elle, tu ces-
serais de vivre. Rosemonde, ignore et prie! Que
le calice s'éloigne de toi!....

Sébastien aurait voulu crier:

— De grâce, arrêtez! Je suis Sébastien, je suis un assassin!

Il remarqua que son frère, Irénée, le regardait toujours. Il fit appel à tout son sang-froid.

Tout le monde se leva. Sébastien se dirigea vers la porte:

— Excusez-moi! Je continue ma route. Je vous remercie.

— Si vous voulez coucher... dit René.

— Impossible, vraiment.

Il franchit, pour la dernière fois, le seuil de la maison paternelle.

De loin, Irénée le suivait.

Le bandit ne savait pas où il se réfugierait. Il marchait au hasard, quand il aperçut, à sa droite, la petite église qu'il avait fréquentée matin et soir dans son enfance. Il n'y a pas meilleur endroit pour passer la nuit, pensa-t-il. Il entra, s'installa dans un banc et regarda tout autour.

Il reconnut les saints et les saintes du passé. Au-dessus de l'autel, une Vierge Marie, en robe blanche et manteau bleu. Elle ouvrait les bras, ses fines mains tendues pour laisser tomber doucement tous les pardons de l'univers. A gauche, dans le vitrail multicolore, une Madeleine éplorée au pied de la croix. A droite, un saint Etienne succombant sous les pierres que lui lançaient les Juifs. En face du sanctuaire, sur une colonne de bois, un saint Pierre de plâtre, tenant un énorme trousseau de clefs Tous ses souvenirs! Tous ses rêves de paradis!

Sébastien reconnut avec exactitude l'endroit même de la table sainte où il avait communié pour la première fois et où les anges étaient venus le chercher pour l'élever jusqu'au seuil du paradis.

Il était plongé dans ces souvenirs quand s'ouvrit la grande porte de l'église. Il vit entrer trois hommes. Tout de suite, il eut l'intuition qu'on venait l'arrêter. Il saisit son revolver. L'instinct du bandit le reprenait. Il était d'ailleurs décidé à ne pas tomber vivant dans le filet de la justice.

— Haut les mains! cria une voix.

Trois revolvers étaient braqués sur lui.

Sébastien pointa vivement son arme vers les officiers et fit feu. L'un de ceux-ci tomba. Une véritable fusillade s'ensuivit. Le bandit recula vers le chœur, tirant de temps à autre, en visant bien. Les agents lui adressaient balle sur balle. Il entendait, de chaque côté de lui, le sifflement de petits projectiles. Il enjamba la balustrade et, reculant toujours, fit feu pour la quatrième fois. Un second officier s'abattit.

— Rend-toi! cria le troisième.

Sébastien reconnut son frère, qui l'avait dénoncé, et cessa de tirer.

Irénée fit feu de nouveau et atteignit le bandit en pleine poitrine.

Sébastien tomba dans un flot de sang..........

....

On l'enterra hors du cimetière, dans le coin de terre réservé aux enfants morts sans baptême.

A dix pas de là s'élevait le monument funéraire de la famille Pierre sur lequel on lisait:

Ci-gît

SEBASTIEN PIERRE

Mort en odeur de sainteté

à l'âge de dix-neuf ans

R. I. P.

*

*   *

René Pierre aura bientôt soixante-dix ans. Malade, il a fait un stage en Floride. Les bains de mer, les cures de soleil, sur la plage au sable chaud, lui ont fait du bien, mais n'ont pu le guérir de la nostalgie des neiges. Il revient au Canada à la mi-mars, quittant le printemps, les

fleurs, la senteur des plantes marines, pour retrouver, chez lui, l'interminable saison du dé-
gel. Autour de Québec, il reverra les champs
tout blancs encore, avec des étincellements de
soleil qui lui brûleront les yeux. Aucun feuillage, aucun chant d'oiseau. Tout au plus le croas-
sement des corneilles revenues vers les bâti-
ments de ferme, à la fin des grands froids. René
pataugera dans un glacial mélange d'eau et de
neige, en attendant les boues et les pluies de
mai. Il aime quand même cette période d'es-
pérance, alors que toute la terre ruisselle, que
les rivières débordent de leur lit en traînant
des moraines de glace à reflets bleus et que
chaque ruisseau, grossi en torrent, s'écoule avec
fracas vers le Saint-Laurent, moucheté de
blanc, de vert et d'azur. C'est beau et puissant
comme un cataclysme et c'est doux comme la
chanson de la vie, vie de la lumière, de la chaleur, de la sève! Et puis, il y a, là-bas, Rosemonde, qui vieillit et s'ennuie. Il fera bon ap-
puyer ses lèvres sur ses joues. Elle est seule à
la maison. Les enfants sont partis. Ils ont fon-
dé leur foyer. La vieille mère reste avec ses
rêves et ses prières. Chaque soir, elle offre une
pensée au souvenir de son fils, à ce Sébastien
presque légendaire, dont l'âme l'attend éternellement. René a hâte de s'associer de nouveau
à cette pensée maternelle, qui s'est toujours
maintenue à la hauteur d'un culte.

Dans le wagon qui le ramène au pays, il a pour voisines deux femmes entre deux âges, qui se font des confidences et évoquent leur passé. L'une d'elles, malgré son visage fané, garde un reste de beauté. Elle fut déjà blonde, ça se voit aux quelques mèches dorées qui voisinent avec des cheveux gris. Dans le regard bleu, des éclairs durs et sombres. Une physionomie inquiétante, une insatisfaction infinie, lassitude de vivre. René entend, sans trop y prendre garde, des bribes de conversation. Les yeux fermés, il a l'air de sommeiller, et les deux femmes, assises en face de lui, croient n'être pas entendues. Tout à coup, un nom éveille son attention. On parle de Tony Jackson :

— Tu sais, disait l'ancienne blonde, j'aimais sincèrement Tony. Je lui avais sauvé la vie, dans le désastre de " La Havane ". Puis, je l'avais gardé pour moi. Tout d'abord, il résistait. Il voulait retourner chez ses parents, au Canada. Mais il m'aimait. Il abandonna tout pour moi, son père, sa mère, son nom même. Jamais je n'ai inspiré une aussi grande passion. On ne retrouve pas deux fois dans sa vie un amour comme celui-là.

— Alors, tu as cru en l'amour.

— Oui, c'est même la seule chose en laquelle j'aie jamais cru. Tony m'en a donné des

preuves extraordinaires. Il m'a suffi de quelques mois pour détruire tout son passé. Il était
un fils de petits bourgeois pieux, soumis, res-
pectueux de la loi. J'ai fait de lui un gangster,
et un gangster brillant. Il est mort depuis bientôt vingt ans et on parle encore de lui.

— Peux-tu me dire son véritable nom?

— J'ai toujours gardé ce secret. Tony m'a-
vait supplié de n'en jamais rien dévoiler. Je
crois bien que maintenant je puis te le révéler,
pourvu que tu sois discrète. Il lui reste sans
doute, au Canada, des parents qui seraient au
désespoir de savoir la vérité. . .

— Eh bien?

— Tony Jackson se nommait Sébastien
Pierre. Lors de l'incendie de " La Havane ",
nous avons fait le plongeon dans l'océan. Un
petit bateau de contrebandiers nous a recueil-
lis. Nous avons passé quinze jours en mer,
sans donner de nouvelles. A notre retour, nous
apprimes que le père de Sébastien avait trouvé
des ossements dans le navire brûlé, les avait
identifiés pour les restes de son fils et les avait
fait inhumer chez lui en grande cérémonie. . .
Le plus tragique, c'est que Sébastien, dans sa
fuite, après l'affaire Flynn, entra chez ses parents et fut reconnu pour Tony par son propre
frère, qui était de la police. C'est lui qui a tué
Sébastien. Tu vois bien qu'il ne faut plus en
parler. . .

René avait tout entendu. Le coup fut si violent qu'il faillit tomber d'apoplexie. Il porta la main à son cœur en haletant :

— Mon Dieu! mon Dieu! Je vais mourir.

— Vous êtes malade? demanda Mary.

Il regarda cette femme avec des yeux effarés. Puis il lui dit :

— Allez-vous en! Allez-vous en! Je ne veux ni vous parler ni vous voir. Allez!... Je n'ai besoin de personne.

Il se rapplomba et garda un silence tragique pendant les deux jours qui le séparaient de chez lui.

Quand il rentra à la maison, après trois mois d'absence, il dit à peine "bonjour" à sa femme.

— Comme tu es pâle et changé! secria Rosemonde. Qu'as-tu?

— Ce n'est rien. La fatigue du voyage, simplement.

— Tu me caches la vérité. Tu es malade.

— Je t'en pric, ne me questionne pas sur ma santé, cela m'ennuie.

Le soir du même jour, les deux époux prièrent ensemble. Quand, après les oraisons ordinaires, Rosemonde voulut évoquer la mémoire de Sébastien, le vieillard, la tête dans les mains, ne répondit pas, comme d'habitude : "Amen!"

Rosemonde le regarda avec stupéfaction. Elle le trouva si étrange, si anormal, qu'elle continua sa prière tout bas, en songeant:

— Mon pauvre René a le cerveau malade.

Les jours suivants, Rosemonde s'aperçut que les images vénérées de son fils ne pendaient plus aux murs de la maison.

— Est-ce toi qui as décroché les photographies de notre enfant?

— Il faut croire que quelqu'un a voulu les épousseter.

René avait fait le tour des chambres, ramassé les souvenirs du disparu, images, photos, carnets, notes édifiantes, journal de l'enfant et de l'étudiant, prières, et jeté le tout au feu.

Rosemonde, constatant ce sacrilège, avait pleuré longtemps. Elle avait ensuite raconté au vieux médecin de la famille l'étrange conduite de son mari.

— Ce doit être une fatigue cérébrale, avait répondu le médecin. S'il ne s'améliore pas ces jours prochains, dites-le moi. Je le soignerai à Mastaï. Il en reviendra.

*

*   *

Au milieu de la nuit, René sort silencieusement de la maison. Personne ne l'a entendu. Il va sur la grand'route, armé d'un lourd marteau de forgeron.

Il contourne bientôt la petite église et entre dans le cimetière. Son ombre se profile parmi les pierres blanches. On dirait un fantôme. Il bute sur des tertres frais, qui recouvrent des morts récents. Il se relève, trébuche, se relève encore.

Il s'arrête enfin devant le monument qui doit être le sien, après avoir été celui de Sébastien. Il secoue le marbre de sa main sénile.

— Elle est solide, cette pierre de mensonge! gémit-il.

Alors, René commence à marteler l'inscription: "Pan, pan, pan, pan!" Les parcelles de marbre volent tout autour. Il entend pleuvoir ces projectiles.

— Morceau par morceau, les illusions tombent, dit-il.

Les coups redoublent. Le bruit lui parait si formidable qu'il croit, dans le silence de la nuit, parmi les morts, entendre tomber des planètes. Et il frappe, il frappe toujours.

— L'illusion! L'illusion! Même les morts nous les enlèvent... Toute la vie, c'est une illusion qui vole en éclats.

Pan, pan, pan, pan! Le marteau sonne sur la pierre. Encore un coup!

Mais qu'est-ce? Une voix profonde comme la conscience, douce comme une plainte d'enfant malade:

— Mon père!

— Qui m'appelle? Je ne suis plus un père...

— Pourquoi m'avez-vous envoyé seul sur le grand navire?

— Qui parle? Dieu, cette voix!... C'est la voix de Sébastien... mon fils!... mon enfant!...

René Pierre, tu as martelé l'illusion, et voici que l'illusion crie du fond de ton être! Et on dirait que quelqu'un de cher remue et parle, sous terre!

A quelques pas de là, gît le bandit, le fils, sous une rangée de petites croix de bois. Le vieillard laisse tomber son marteau d'acier. Chancelant, il va droit à l'endroit où on a cru inhumer Tony Jackson, et là, il tombe sur les genoux, se colle la face à la terre glacée et murmure:

— Sébastien! Sébastien! Mon petit enfant, parle encore!

Tout est retombé dans le silence. La voix s'est tue. René dit plus haut:

— Réponds-moi! Réponds-moi! Je veux t'entendre! Je ne t'ai pas maudit.

Seules les pierres tombales lui renvoient l'écho de ses paroles dans la nuit calme.

Alors, le père de Sébastien se frappe le front au sol dur et crie de toutes ses forces:

— Sébastien! Je te pardonne! Entends-tu, mon enfant? Devant le ciel ouvert, devant les étoiles, au nom de ta mère, je te pardonne! Je pardonne à tout le monde! Car c'est moi qui ai péché. Le coupable, entends-tu, c'est René Pierre. Un père ne doit pas livrer son fils au grand navire de plaisir... Sébastien! Sébastien! Réponds-moi! Dis que tu me pardonnes! Je t'ai tué en te laissant seul. Je t'ai tué! Es-tu damné? Non, non, tu n'es pas damné! Pourquoi porterais-tu la faute de ton père?... Sébastien! Pardon! Pardon!....

Le dernier cri se perd dans un râle. Plus rien! Silence! Plus rien que le corps inanimé de René Pierre, étendu, les bras en croix, sur la terre des morts.

LES SAUVAGES

———

A Sylvia Sydney

Gaspard avait les traits de sa tribu : le nez arqué, magnifique, les yeux perçants, les cheveux bas sur le front, les pommettes saillantes, des joues barrant énergiquement la mâchoire, une physionomie sereine et douce.

Ses longs cheveux divisés en deux tresses et ramenés devant les épaules, ses sourcils épais, ses cils drus et son gilet de peau de cerf, accentuaient, chez lui, le type du sauvage.

Il était né dans les bois, en plein hiver et à ciel ouvert. Ses parents, Plumeau Blanc et Fleur Bleue, étaient partis en septembre pour les régions arctiques où l'on allait trapper les animaux à fourrures. La sauvagesse, au septième mois de sa grossesse, au départ, accoucha de Gaspard en novembre, pendant une bourrasque qui avait surpris la petite caravane, à mi-chemin entre deux postes. Elle mit bas sur une peau d'ours étendue dans la neige, et le petit Peau-Rouge fut accueilli, en ce monde, par une saute de vent qui couvrit de poudrerie son corps

nu. Le père l'enveloppa dans la fourrure, le ré-
chauffa sur sa large poitrine et le porta, en marchant derrière ses chiens attelés, jusqu'à la prochaine hutte, à quelques milles de là. Malgré sa
faiblesse et la perte de son sang, Fleur Bleue
suivit, courageuse et résignée comme une bête
blessée.

La famille passa la saison froide dans cette
solitude. Pendant que la squaw allaitait et soi-
gnait le petit, Plumeau chassait au loin. Il s'ab-
sentait des semaines entières. La nourriture
venait-elle à manquer, Fleur allait chasser des
perdrix blanches dans les environs et ne revenait jamais bredouille.

On était descendu vers la civilisation avant
la fonte des neiges. Les chiens, traînant la
fourrure, battaient la marche. L'homme conduisait l'attelage, et la femme suivait, portant
sur son dos, dans un sac de peau, le nourrisson
Gaspard.

C'est ainsi que l'enfant commença sa carrière de coureur des bois. Jusqu'à sa vingt-cin-
quième année, il exerça le rude métier que lui
avaient appris ses parents. Puis, un jour, à cause de son intelligence, de son esprit serviable et
de sa connaissance de la forêt, des lacs et des
rivières, on le recommanda comme guide à de
riches explorateurs blancs, John Marcot et
Gaston Fridolin, qui, le trouvant bon, doux,

sympathique, lui offrirent de l'emmener avec
eux et de lui confier la garde d'un club de chasse et de pêche des Laurentides, non loin de
Québec. Il accepta.

— Moi aller, dit-il, si toujours rester dans
le bois.

Il ne savait du français que les mots essen-
tiels : il n'avait guère parlé que le dialecte de
sa tribu dans son enfance. Cette façon de s'exprimer, si élémentaire, si breve, si près de la
nature, avait son charme. Gaspard était forcé
de dire beaucoup en peu de mots. Les quelques
images qui se mêlaient à son langage étaient
parfois des trouvailles de simplicité.

Sur le bateau qui les ramenait, lui et les explorateurs, vers le port de Québec, Gaspard
rencontra une jeune métisse, qui allait chercher du travail à la ville. Elle se nommait Hirondelle et venait d'une réserve de la Côte
Nord, où elle avait été élevée parmi les blancs.
Vive, gaie, la voix douce, elle charmait les voyageurs par son type d'orientale : ses yeux bridés
et fort beaux, son petit nez légèrement aplati
près du front, ses lèvres retroussées, charnues,
rouges, son visage en oval raccourci, son corps
très mince, aux courbes allongées. On s'est toujours demandé d'où venaient ces naturels du
nord, qui, en Amérique, ont tant de traits com-
muns avec les jaunes d'Asie. Certaines sauva-

gesses sont des mousmés évoluées. Ainsi était Hirondelle. Les hommes la convoitaient. Elle avait ce que les Américains appellent le "sex appeal", avec du mystère au fond du regard et un pli inquiétant, un peu amer, au coin de la bouche.

Gaspard ne tarda pas à s'approcher d'Hirondelle. Jamais femme ne l'avait fait vibrer comme celle-là. Dès le premier jour, reconnaissant en lui un frère de race, elle lui parla:

— Quittez-vous le pays pour longtemps?

— Moi pas savoir. Voir place nouvelle avant.

— Vous allez à la ville?

— Non. Moi connaître rien hors du bois. Moi aller guider pour chasse et pêche. Et vous?

— On m'envoie chez une grande dame pour être servante.

— Trop belle pour servir étrangers.

— Que voulez-vous? Il faut gagner sa vie.

— Sauvagesse pas faite pour vivre avec grandes dames.

— Je suis métisse.

— Quand même!

Ils passèrent toute une journée en tête à tête. Gaston Fridolin et John Marcot le remarquèrent, surtout Gaston, que la vue d'Hirondelle impressionnait.

— Vois nos deux sauvages, dit celui-ci. Comme ils vont bien ensemble!

— Tout à fait bien... Je ne croyais pas Gaspard sentimental. Il ne parle pas souvent. On ne sait jamais ce qu'il pense, encore moins ce qu'il sent.

— Il est sûrement pris. Ça se voit à son regard. Il me vient une idée. Pourquoi ne les marierait-on pas? Dans le club, il n'est pas bon que Gaspard soit seul.

Le petit navire longeait l'île aux Coudres. Les couleurs de fin d'août habillaient les montagnes de tons et demi-teintes d'une grande richesse. Bientôt, le Cap Tourmente apparut couronné d'or, de pourpre et d'ombre verte. Gaspard, toujours assis près d'Hirondelle, lui disait de courtes phrases entrecoupées de larges silences.

— Ici, rivière plus petite. Moi aimer mieux eau grande, eau perdue dans ciel.

— On est près de la ville, répondait Hirondelle. Je n'ai jamais vu la ville. On dit que c'est bien beau.

— Gaspard pas aimer grande foule. Mieux penser et regarder arbres...

Gaston passa près d'eux et fit signe au sauvage de le suivre.

— Tu aimes beaucoup cette femme? lui demanda-t-il.

— Oui. Pourquoi monsieur vouloir savoir?

— L'aimerais-tu assez pour la prendre pour femme?

— Gaspard jamais penser à marier. Pas assez moyen...

— Ecoute, c'est sérieux. Tu vivras dans le bois tout seul. L'hiver, personne pour prendre soin de toi, réparer tes habits, cuire ton manger... Crois-tu qu'elle consentirait à te suivre?

— Moi aimer Hirondelle pour elle toute seule, pas pour coudre gilet de Gaspard.

— Veux-tu la demander en mariage?

— Monsieur Gaston laisser penser Gaspard.

Le sauvage alla reprendre sa place auprès de la jeune fille. Le soir était calme et doux. Le soleil tombait derrière les montagnes nimbées de mauve, de rose et d'émeraude. Gaspard ne répondait que par monosyllabes et distraitement aux questions que lui posait son amie. A la fin elle lui dit:

— Vous avez quelque chose. Dites-moi, qu'est-ce qui vous ennuie?

— Dans une heure, moi rencontrer Hirondelle ici et parler.

Elle s'éloigna, et il resta seul. Il songea à la douceur de vivre près de cette femme qui charmerait sa solitude. Là-bas, derrière les monts, où il habiterait désormais, il serait des semaines et des mois sans voir âme qui vive. Seules les bêtes lui tiendraient compagnie. Il se consumerait de désir et d'ennui. Maintenant qu'il connaît Hirondelle, il voudrait, chaque soir, la

caresse de son souffle sympathique et chaud.
Raconter la chasse du jour à l'aimée, près d'un
feu ardent, quand la tempête d'automne secoue
les arbres, manger la viande d'orignal servie
par la main qu'on adore, entendre un pas léger
dans le camp (1), à côté d'un chien bondissant,
passer des heures à écouter une voix féminine
qui changerait le silence en musique, puis sentir, toute la nuit, deux bras autour de son cou...
Gaspard comprenait pour la première fois la
joie de la vie à deux. Tout à l'heure, le blanc
avait ouvert sur son cœur un peu d'espoir un
coin de ciel bleu, au seuil de cet hiver qu'il s'apprêtait à passer loin des siens, loin de la mystérieuse et rude Côte Nord, sans écouter d'autre
rumeur que celle du vent, d'autre murmure que
celui de la neigeuse rafale, d'autres cris que
ceux des loups faméliques et sanguinaires, sans
autres regards vivants que ceux de deux chiens.

A l'heure indiquée, Hirondelle revint. Il lui
dit :

—Moi pouvoir gagner vie à deux dans le
bois. Moi aimer Hirondelle. Pourquoi pas venir avec Gaspard? Gaspard marier Hirondelle,
si elle vouloir suivre.

—Moi aussi je vous aime bien, Gaspard...
Nous nous connaissons à peine. Comment vous
répondre tout de suite?

_____

(1) Au Canada, un " camp " est un chalet rustique
construit dans les bois.

—Moi revoir Hirondelle demain, avant partir pour montagnes. Hirondelle répondre si elle vouloir… Fille jolie pas rester seule dans grande ville. Les hommes piéger elle. Fille perdue avant une année, fille abandonnée, malheureuse. Hirondelle avoir besoin d'un homme pour défendre…

—Venez me voir demain, chez madame Jeannotte, Grande Allée.

*

* *

Gaston et John se félicitaient du succès de leur projet. La métisse s'était profondément ennuyée dès sa première journée de service domestique. Elle accepta d'épouser Gaspard.

Le modeste mariage eut lieu dans la petite chapelle de la basilique de Québec. Deux témoins seulement assistèrent à la cérémonie. Ensuite, on conduisit les mariés en auto jusqu'au Club du Grand Nord, où on les déposa à la porte d'un camp de bois rond en leur disant:

—C'est ici que vous passerez l'hiver.

L'abri assigné aux sauvages n'était pas le chalet principal, mais une hutte, faite de troncs non équarris et calfeutrés d'étoupe. Avec son toit bas, sa galerie rustique et ses fenêtres profondes, pareille à des milliers d'autres, au bord des lacs, dans son décor de sapins, d'épinettes, et de quelques maigres bouleaux, cette habitation se mariait au paysage, se confondait avec lui. Ne portait-elle pas, sur ses flancs, l'écorce rugueuse des arbres qui en formaient la fruste architecture?

Une intense lumière, réfléchie par le lac d'en face, baignait la hutte et l'égayait. Les jeunes gens, serrés l'un contre l'autre, regardèrent longuement cette scène. Une grande paix entrait en eux. N'étaient-ils pas les enfants des bois? Durant des siècles leurs pères et leurs mères n'avaient connu d'autre refuge que l'âpre nature, avec laquelle ils avaient vécu, contre laquelle ils avaient lutté, qu'ils avaient aimée jusqu'à la mort. Nomades, aventuriers, insouciants et braves, incapables de songer au lendemain, ils avaient joui de la vie libre, avec les ivresses et les souffrances de la liberté, ignorant tout de la stabilité, du repos, du confort et des contraintes des grandes sociétés humaines. Presque tous, ils existaient follement, magnifiquement, aussi capricieux dans leurs mouvements, que les animaux qu'ils chassaient, plus stoïques, dans leur mépris de la vie et de la joie, que les visages pâles qui les avaient subjugués et presque anéantis. Pas une race ne sut mourir comme les sauvages. C'est peut-être d'eux que parlait Vigny, quand il décrivait la mort du loup: "..... comme moi, souffre et meurs sans parler!"

Hirondelle et Gaspard sentaient confusément ces choses. Leurs parents leur avaient transmis une âme émanée des forêts et des neiges. Ils ne pouvaient penser et aimer vraiment que dans les sentiers bordés de sapins ou sous la morsure boréale. La jeune sang-mêlé, avait rêvé de servir les civilisés, dans une grande ville; elle ne se repentait pas d'avoir suivi le silence et la solitude. Les événements qui l'avaient conduite là s'étaient précipités sans la laisser réfléchir. Elle en était presque contente. Elle aussi était faite pour les portages verts et les courses en raquettes. Il manquait peu de chose à son bonheur, puisque, n'ayant jamais aimé, elle croyait avoir de l'amour pour Gaspard. Son amitié pour cet homme, c'était ça, l'amour, rien de plus. Et quand avant d'entrer dans le camp, son mari la pressa sur sa poitrine et la baisa au front, elle n'éprouva d'autre émotion que celle qu'on ressent au baiser d'un frère. Elle ne tressaillit pas.

La hutte était divisée en deux à l'intérieur. D'un côté, une petite table de bois brut, un fourneau de fonte et quatre chaises; de l'autre, un lit de planches, avec matelas de paille et quelques couvertures. C'est là qu'on passerait les longues soirées d'automne. Les étroites fenêtres laissaient passer peu de jour. Gaspard

regarda alternativement Hirondelle et l'unique
chambre de repos de la maison. Pour la première fois depuis le matin, il sourit :

— Ici, souvenir longtemps, dit-il. Petite maison, grand bonheur.

C'était la phrase la plus expressive, la plus
profonde qu'il pût articuler dans son langage
élémentaire. Hirondelle comprit que le sauvage
exultait. Elle lui prit les deux mains et lui répondit :

— Tu es bien bon, oui, bien bon pour moi,
Gaspard. Sans me connaître, tu m'as emmenée
avec toi, pour la vie. Que ferais-je pour mériter
ta confiance ?

— Rien, Hirondelle, rien que toi être ici,
tout près.

Ce furent les seuls mots d'amour prononcés
en cette fin de jour. Le soleil roulait derrière
les montagnes. Il fallut allumer une lampe à
l'huile. La jeune femme prépara elle-même le
souper des noces : du chevreuil en conserve, des
pommes de terre, du sucre d'érable et deux verres d'eau. Les chiens, le nez sur la table, attendaient les restes. Dehors, un hibou ululait tris-
tement :

— Moi, pas aimer cri de malheur, dit Gaspard.

— Tais-toi ! Les hiboux ne sont pas méchants.

Ce premier soir, Hirondelle se livra sans

joie et sans déplaisir, avec l'indifférence résignée des femmes soumises à leur destin. L'âme
de l'épouse n'entrait pas dans la possession de
Gaspard. Pourtant, il l'aimait immensément,
lui qui, sans la connaître, l'avait acceptée comme un don du ciel et de la terre. Il ne regrettait
qu'une chose : c'était de ne pouvoir dire, dans
la langue de l'aimée, l'intensité de son amour.
Tout se passa dans la silencieuse simplicité des
primitifs.

*

* *

Ils employèrent la première semaine à visiter le terrain du club qui couvrait quelques milles carrés des Laurentides. Vingt lacs étince-
laient sous le soleil, au fond des vallées et des
creux de montagnes. Gaspard et Hirondelle
allaient de surprise en surprise. Il marchait devant, armé d'une carabine, elle venait derrière,
avec un léger fusil de chasse. Elle abattait perdrix et lièvres comme en se jouant. Chaque
fois qu'elle attrappait un oiseau en plein vol,
l'homme s'écriait :
— Bien tiré ! Toi chasser comme ma mère.
Il était content de sa femme. Au bout de
chaque portage, entre les arbres, ils débou-
chaient sur un lac. Ils examinaient le rivage,
couvert de pistes de bêtes.
— Orignal marcher ici tous les jours, disait
Gaspard.

— Quand viendront les chasseurs, répondait Hirondelle, il faudra les emmener ici.

— Oui, blancs attendre des heures cachés...

On traversait le lac en canot, puis on reprenait le sentier de l'autre côté, pour aboutir bientôt à des lacs nouveaux. Chaque nappe d'eau avait son nom: la Crique au Vison, la Cache Dix, le Caché, le Miroir Vert, l'Emeraude...

A la Cache Dix, des castors s'ébattaient dans l'eau. Dissimulés dans les branches, les sauvages imitèrent le cri de ces bêtes intéressantes, et celles-ci, curieuses et surprises, s'approchaient d'eux en allongeant démesurément leur fine tête, afin d'apercevoir les mystérieux compagnons qui les appelaient. Hirondelle éclata de rire, et les castors, avec grand bruit, plongèrent. A la décharge du lac, Gaspard expliqua à sa femme les mœurs de ces gros rongeurs:

— Castors barrer eaux, égaliser, pour pas noyer cabane. Eux passer hiver dans petite cabane. Au-dessous, beaucoup de nourriture. Castors couper tas d'arbres avec écorce et bourgeons, caler branches au fond... provision d'hiver. Fines bêtes, souvent plus fines qu'hommes.

Ce disant, Gaspard montrait à sa femme une écluse qui mesurait bien deux cents pieds

de longueur et qui représentait, pour des ou-
vriers n'ayant d'outils que leurs dents, leurs
pattes et leur queue, un travail inouï. Tout près
s'élevait l'abri des castors, amas solide de branchettes croisées et de boue. L'Indien expliqua
comment ces bêtes transportent la vase qui leur
sert à cimenter la fruste structure de leur maison.

Le castor a généralement le poil lustré. Il
sécrète et étend sur toute la surface de son
corps une substance huileuse qui fait le poli de
sa robe et empêche l'eau de pénétrer dans son
épaisse fourrure. Il a besoin de se rendre im-
perméable pour mieux se mouvoir dans les rivières et les lacs. Mais quand vient le temps de
bâtir, le lustre de son poil disparaît sous l'effet
d'une autre sécrétion qui le dégraisse et le rend
perméable à l'eau et à la terre détrempée. Le
castor se roule alors dans les fonds vaseux,
pour remplir de boue toute sa fourrure délus-
trée. Puis il remonte à la surface où il apparaît
en boule de fange, comme dégouttant d'un bain
de poix ou de peinture noire. Il porte son lourd
fardeau jusqu'à la cabane en construction et,
là, se secoue vigoureusement. Le ciment de la
maison est rendu à destination. Maintenant,
bousillez, maçonnez, cher petit monde! Bientôt,
vous entrerez dans votre abri lacustre, où l'hiver ne troublera pas votre paix.

Gaspard racontait ce trait de l'instinct animal avec une sorte de passion tranquille. Quand il parlait ainsi avec son pauvre vocabulaire, qu'il savait rendre intelligible, les yeux d'Hirondelle se fixaient intensément sur les siens, et ce regard attentif réchauffait ses souvenirs forestiers.

Ils descendaient vers le camp avant le soir, à l'heure où une vague d'accalmie, de sommeil, noie l'atmosphère. Le vent s'endort dans les branches. Le moindre bruit est comme un acte de violence qui crève le silence; la nature peuple sa tranquillité d'amplificateurs invisibles. Entre les montagnes, l'écho, très net, répercute les voix, les cris des bêtes, les pas même des hommes. Rien ne bouge à la cime des arbres, et l'ombre, sous les rameaux, est pleine de mystères. On se croirait dans une église, que la foule aurait vidée pour la nuit et dont on aurait fermé les portes. Le temple se recueille. Les colonnes sacrées de la forêt, acquièrent une heure d'immobilité qui paraît éternelle. Gaspard et Hirondelle, fatigués de la course du jour, s'associent à ce mutisme des choses, qui se prolonge, on dirait, jusqu'au bout de l'univers. Ils se taisent. Au bord d'un lac, ils voient en passant la croupe énorme d'un élan broutant tranquillement des racines de nénuphars. Dans des bouquets de cèdres odorants, des gélinottes

perchées les regardent passer. L'apaisement de
toutes choses se communique à leur âme simple. Ils se sentent heureux à force de sérénité.
Enfants des bois, vous épousez les passions, les
joies et les souffrances de la nature. Quand
l'arbre se tord, en hurlant, au-dessus de vos têtes, votre cœur se serre; quand il repose doucement dans la lumière du couchant, vous repo-
sez avec lui; quand se prépare l'ouragan, qui va
déchirer les feuillages, vous éprouvez de l'angoisse. Jouets des forces aveugles de terre, depuis des siècles, races de sauvages naïfs, rê-
veurs et sensibles, vous n'avez cessé de promener vos vagues et farouches désirs le long des
sentiers mousseux, à côté de vos frères les arbres !

Pourtant, au fond du silence, la nature
nourrit la férocité des êtres. A quelques pas du
sentier, un pécan saute à la gorge d'un chevreuil. De l'autre côté, on entend les cris dé-
chirants d'un lièvre palpitant sous la gueule
d'un renard jaune. Ailleurs, un écureuil fuit
éperdûment devant une marte. Calme et douce
nature ! Tu parais dormir, et pourtant, tout ce
qui vit en toi se combat, s'ensanglante, se tue.
Passions des hommes, passions des bêtes, luttes
pour l'existence, concurrence sans merci, mort
aux faibles, malheur aux vaincus ! Impossible
d'échapper à cette loi, qui semble la malédiction

du monde, et qui, en même temps, est une condition de sa conservation, de sa force, de sa
beauté : "the survival of the fittest", disent les
Anglais.

Les sauvages atteignent une hauteur qui
domine une plaine herbeuse. Il fait toujours
calme. Pourtant, on perçoit un bruit sourd là-
bas.

— Entends-tu ? dit Gaspard.

— Oui, on dirait des pierres entrechoquées,
puis, comme des coups de massue dans de la
terre molle.

— Sais-tu pourquoi ?

— Non. Il n'y a pourtant pas d'hommes en
cet endroit.

— Moi dire : orignaux mâles se battre pour
femelle.

— Je voudrais voir de plus près.

— Viens, suis-moi !

Ils s'avancent en rampant. Le bruit est plus
net. Les bêtes respirent comme des soufflets de
forge. Puis des coups puissants : vlan ! vlan !
suivis d'un son guttural : oc ! oc ! oc !

La lumière rose découpe le profil des bêtes.
Sous une aulnaie, une femelle immobile, con-
temple avec indifférence les deux mâles. Tête
baissée, nez à terre, le corps contorsionné, leurs
bois énormes empêtrés l'un dans l'autre, comme
rivés l'un à l'autre, ils avancent, reculent, se

heurtent le front, mais sans pouvoir prendre de
la distance pour s'élancer. Le plus petit des
deux, porte au poitrail une blessure, le ruban
rouge de la guerre... Tout à coup, le plus fort
se dégage, recule de deux pas, se cabre de toute sa hauteur et, de ses sabots terribles, s'abat
sur le flanc de son ennemi, qui tombe à la ren-
verse. Il revient à la charge et le crible de coups
de sabots qui se succèdent avec rapidité... La
bête meurtrie n'est pas morte, elle se relève et
charge à son tour. Quel courage! Mais l'élan le
plus lourd, le plus vigoureux, presque sans blessure, évite l'attaque et frappe de ses bois le poitrail de l'ennemi, qui chancelle. Le vaincu se re-
tourne et fuit au fond du bois dans un craque-
ment de branches. Et la femelle appartient au
vainqueur. C'est la loi de la vie, douce nature!

— Terrible! dit Hirondelle en frissonnant.

— De même partout, dit Gaspard. Hommes
aussi se battre, pour argent et femmes. Femmes être au plus fort.

Le soleil se couche, tout rouge, comme écla-
boussé par le sang du combat. L'élan victorieux
s'empare de sa proie avec une tranquillité fa-
rouche.

*

*   *

Cette vie solitaire fut bientôt troublée par
un groupe de chasseurs, membres du club, qui

venaient chercher un panache. Ils étaient trois :
Gaston Fridolin et John Marcot, et un homme
plus jeune, Martin Veilleur. Ils logèrent dans
le chalet principal, à cent pieds de la hutte des
sauvages. C'était une habitation confortable et
de beau style. La charpente de troncs d'arbres
non équarris formait un quadrilatère allongé et
bas, aux lignes simples, qui s'harmonisaient
avec la forêt. A l'intérieur, cinq pièces : une
salle de délassement, avec fauteuils rembourrés
de cuir capitonné, large foyer de pierre, tables
de jeu, gravures de chasse et de pêche sur les
planches des cloisons ; une salle à manger et
trois chambres, dont une en bas et deux sous le
toit. Gaspard et Hirondelle aidèrent à l'installa-
tion des chasseurs. Ils transportèrent fusils,
provisions, havresacs et les rangèrent en ordre. Martin observait la métisse :

— Elle est pas mal, la petite, fit-il.
— Elle est même très bien, répondit John.
Gaston a fait un coup de maître quand il a eu
l'idée de donner la paire au club.
— Les sauvages sont-ils jaloux ?
— Pas toujours. Chez les Esquimaux, il est
de bon ton d'offrir sa femme aux blancs de passage. Le refus est souvent une insulte. J'ignore
les sentiments de Gaspard ; mais je crois qu'il
aime éperdûment son Hirondelle... D'ailleurs,
je te défends bien de lui faire la cour.

Martin avait à peine vingt-cinq ans. Brun à physionomie mâle, il avait de grands yeux noirs et des traits d'une régularité parfaite. Impressionnable, impulsif, nerveux, assez intelligent, entêté et de faible volonté. Homme à surprises et à fugues, il prenait parfois des décisions stupéfiantes. A vingt ans, il s'éprenait d'une danseuse de burlesque beaucoup plus âgée que lui. S'il avait été majeur, il l'aurait sûrement épousée. Mais les quelques mois d'attente que lui imposait sa minorité — car le père Veilleur aurait bondi d'indignation à l'idée d'un pareil mariage — lui permirent d'oublier et de s'éprendre ailleurs. Un amour en chasse un autre. Certains hommes en font l'expérience toute leur vie et n'en continuent pas moins à prendre toute nouvelle flamme pour éternelle. Le jeune Veilleur, fils unique et disposant d'une fortune toute faite, était préparé à ces fantaisies.

Quand Hirondelle servit le souper, ce soir-là, Martin ne perdit aucune occasion de lui frôler la main. Il suivait ses allées et venues d'un regard chargé de désirs. Elle faisait mine de ne pas s'en apercevoir. Les blancs ayant absorbé plusieurs verres de scotch avant le repas, elle attribuait à l'alcool la familiarité du jeune homme. En quittant le grand chalet pour aller

passer la nuit dans la hutte voisine, elle salua d'un sourire.

— On dirait que tu en pinces pour la sauvagesse, dit Gaston à Martin.

— Je la trouve affolante.

— Rappelle-toi que tu es venu à la chasse... pas à la chasse à la femme.

— Bah! si c'était le gibier le plus intéressant...

Le matin suivant, on résolut que Martin se contenterait de faire la petite chasse dans les environs du camp, tandis que Gaston et John, guidés par Gaspard, passeraient la journée à traquer l'orignal.

— Voulez-vous être mon guide? demanda Martin à la jeune femme.

— Pour chasser les perdrix? (1)

— Oui... aussi pour causer. Vous m'intéressez.

— Je sais des endroits, non loin d'ici, où il y a des couvées entières. Vous êtes bon tireur?

— Je ne manque jamais la cible.

On partit par les sentiers étroits, les portages. Il était dix heures du matin. Le soleil commençait à tomber à plomb dans les chemins et les clairières. Les oiseaux en quête de chaleur

_____
(1) Au Canada, les gélinottes portent le nom de perdrix.

sortaient de l'ombre. On déboucha bientôt sur une petite rivière à fond sablonneux.

— Le gibier vient souvent boire ici. Voulez-vous remonter le courant? L'eau n'est pas profonde.

On marcha dans la rivière. Tout à coup, en pleine lumière, parurent cinq perdrix, qui s'avançaient doucement, gentiment, sur une digue de sable, vers un remous calme. Le mâle, un vieux coq à crête, venait devant, suivi de la femelle et des petits de l'année, dont le plumage gris était noyé de clarté blanche.

— N'est-ce pas que c'est beau? dit Martin.

— Chut! elles vous entendent. Voyez-vous, le coq met sa queue en éventail, et toute la famille allonge le cou. Vite, tirez!

Il épaula : pan!

Pas un oiseau n'était touché. Un vol effaré, un grand bruit d'ailes dans les aulnes.

— Maladroit! dit Hirondelle. Savez-vous au moins les poursuivre à travers les branches?

— Non! Chaque fois qu'il m'arrive de manquer des perdrix à découvert je ne puis les rattraper dans les arbres.

— Donnez-moi le fusil!

La métisse disparut dans le feuillage. On entendit une détonation, puis une autre et plusieurs encore. Quand elle reparut, au bout de quelques minutes, Hirondelle portait un trophée de quatre perdrix.

— J'en ai perdu une, dit-elle avec dépit.

— Quelle merveilleuse femme vous faites!

— C'est facile pour moi, vous savez. Nous autres, sauvagesses, nous avons ça dans le sang.

Les deux jeunes gens redescendirent vers le sentier et continuèrent leur marche.

Ils allaient épaule contre épaule, hanche contre hanche. Elle était émue. Pour ne pas paraître troublée, elle se mit à parler de la forêt, des bêtes, de ses expériences, des drôleries qui lui étaient arrivées ou qu'on lui avait racontées.

— Voyez-vous ce petit oiseau? dit-elle, en désignant des mésanges. Tout à l'heure, l'un d'eux viendra manger dans ma main.

— Je ne vous crois pas.

— Puisque je vous le dis. Vous allez voir. Assoyez-vous et tenez-vous tranquille!

Hirondelle tira d'un petit havresac une tartine au beurre. Elle en émietta une partie autour d'elle, au milieu du portage. Peu à peu, les mésanges s'approchèrent, descendirent de branche en branche et vinrent festoyer. Il ne resta bientôt plus une miette de pain par terre. Alors, l'Indienne détacha une autre parcelle de tartine et la garda dans le creux de sa main. Ce ne fut pas long. Une mésange sautilla vers elle, flaira le beurre et bondit légèrement dans cette main tendue. Martin retenait son souffle. Il n'en croyait pas ses yeux.

— Vous êtes une charmeuse, dit-il.

— Je ne suis pas une charmeuse. Les animaux n'ont pas peur des gens qui ne leur font pas de mal.

Un cri perça au-dessus de leur tête. C'était une pie, ou gaie des bois, volatile bruyant, bavard, voleur et goinfre, qui fait le désespoir des chasseurs. Si vous n'y prenez garde, quand vous allez en forêt, il pillera vos provisions.

La pie s'était perchée sur le bout du fusil qui reposait sur l'épaule de Martin.

— Voilà un oiseau qui ne se gêne pas, dit-il.

— Ah! une pie. Voulez-vous rire? Attendez. Je connais un petit jeu qui m'amusait follement, quand j'étais petite.

Hirondelle coupa une fine branche de coudrier, fixa au bout un cordon auquel elle attacha un léger morceau de porc cuit, puis, elle planta ce fouet en terre.

— Regardez bien! dit-elle.

L'oiseau prit son vol et saisit au passage la bouchée qui se balançait en l'air. Sous son élan, la branche plia, puis se détendit vivement. La pie fit boomerang. Elle tourna deux ou trois fois sur elle-même et faillit tomber dans le visage de Martin. Elle revint à la charge, furieuse. Cette fois, elle ne lâcha pas prise. Elle se fit lancer à droite, à gauche, en tous sens.

— Ne dirait-on pas qu'elle est ivre? dit Hirondelle en riant.

— On a comparé la pie à une femme, à cause de son caquetage, taquina Veilleur.

— Elle est plutôt un peu folle comme l'homme qui saute à la légère sur toutes les proies qui se présentent.

— Que voulez-vous dire?

— Comprenez ce que vous voudrez.

— Je comprends que si je vous faisais la cour, Hirondelle, je serais ridicule.

— Peut-être. Mais vous ne ferez pas la cour à une métisse.

— Pourquoi pas?

— Ne dites pas de sottises!

— Si je n'en disais pas, j'en ferais bien pour vous.

— Oubliez-vous que je suis mariée?

— Je ne l'oublie pas. Seulement, je suis persuadé que vous n'aimez pas votre mari.

— Moi, je n'aime pas mon mari? Connaissez-vous Gaspard? C'est un grand cœur, je vous assure.

— Oui, je sais. Vous avez beaucoup d'amitié pour lui. Mais on m'a raconté votre mariage. Une affaire bâclée en deux jours, entre un homme frappé du coup de foudre et une petite fille qui trouvait naturel d'accepter un bon garçon, sans plus. Vous n'avez jamais aimé, Hirondelle.

— Parlons d'autre chose, voulez-vous? Les perdrix nous attendent.

Ils reprirent leur route en silence. Dans la double haie de trembles, de cerisiers sauvages, d'aulnes, de cormiers et de sureaux blancs qui bordaient le portage, ils promenaient leur secrète pensée. Oui, la sang-mêlé aurait aimé un blanc comme celui qui marchait à ses côtés. Née d'un Français et d'une sauvagesse, élevée et éduquée par les visages pâles, elle avait des instincts contradictoires. Elle adorait la forêt, par atavisme maternel; elle était séduite par la civilisation paternelle. Elle sentait bien que si son jeune compagnon l'avait embrassée, elle aurait été troublée. Or, Gaspard ne la troublait pas. Il était pourtant bon, intelligent, courageux, loyal et fort. Pourquoi ne vibrait-elle pas à son approche, elle qui avait une âme de feu? Il y avait, dans tout ceci, une mystérieuse loi de la nature, qu'elle ne parvenait pas à comprendre. Elle aurait voulu pleurer.

Martin pensait à la joie de vivre avec cette fille des bois, qui lui paraissait si originale, si fine, si différente des femmes qu'il avait rencontrées et cru aimer. Il examinait son corps souple et mince, sous l'habit de chasseresse. Il se la représentait, dans l'intimité, féline comme une marte. Enfant gâté, il la voulait, quoi qu'il advînt.

Hirondelle fut heureuse de trouver une diversion dans la rencontre d'une nouvelle couvée de perdrix, que Martin, cette fois, visa avec précision et tua. Elle le railla :

—Après votre coup sur la rivière, dit-elle, je doutais sérieusement de votre adresse. Vous remontez dans mon estime.

—Je ne recherche pas seulement votre estime, allez.

Après un lunch frugal au bord du sentier, on revint tranquillement vers le "camp". Pour éviter de nouvelles déclarations de son trop pressant chasseur, Hirondelle lui racontait des histoires sur les animaux de la forêt. Elle disait comment des bêtes toutes petites s'attaquent parfois à des animaux mille fois plus gros qu'eux-mêmes, comme la belette, par exemple, dont la férocité ne connaît pas de limites et qui, à l'occasion, s'accroche au cou de l'orignal ; comment la loutre, à cause de sa force et de sa résistance à l'eau, peut noyer un chien qui voudra l'attraper à la nage ; comment une marte, prise au piège, poussera le courage jusqu'à se couper la patte avec ses dents pour recouvrer sa liberté ; comment le renard, à l'approche d'un danger, tue ses petits de peur de les laisser à l'ennemi... Elle en avait tant et tant à dire, sur la faune du pays, que Martin n'en revenait pas.

— Où avez-vous appris toutes ces choses ? lui demanda-t-il.

— Les chasseurs de chez nous en parlent souvent, le soir, à la veillée. J'ai chassé moi-même dans le nord. Le reste, je le sais par Gaspard.

Le jeune blanc se laissait séduire par cette science de la nature. Le matin, son désir se bornait à une Hirondelle de passage ; maintenant qu'il l'entendait, il lui découvrait une âme. Et il se persuadait que l'amour, le vrai, naissait en lui. Puissance de l'illusion chez certains hommes ! Il revêtait cette fille de squaw de tous les charmes. Il se disait : "Si elle n'était pas mariée, je ne rougirais pas de l'épouser". Il pensait, comme bien d'autres, que toute femme intelligente s'adaptait au milieu dans lequel on la transplantait. Des romantiques ont répandu partout qu'on peut, du jour au lendemain, muer une paysanne en marquise. Veilleur se figura Hirondelle dans un bal du Grand Hôtel :

— Elle aurait un succès fou avec son allure exotique.

On n'était plus qu'à quelques arpents du chalet. On descendait une pente abrupte, qui conduisait au lac, immense saphir bleu enchassé dans cent couleurs d'automne, quand Martin saisit la main d'Hirondelle :

—Si je te disais que je t'aime...

—Je ne vous croirais pas. Les blancs savent mentir.

—Je ne te demande pas de me croire tout de suite. Tu verras dans l'avenir... Le jour où tu m'aimerais toi-même, où j'en serais sûr, ce jour-là, je n'hésiterais pas à te demander de me suivre. Je te donnerais toute ma vie.

—Vous savez bien que nous ne pourrions nous marier.

—Le mariage!... L'amour vaut mieux que le mariage.

—Je ne comprends pas... Vous vous moquez de moi.

—Tu comprends fort bien, Hirondelle.

Elle se laissa tirer vers lui.

La métisse se sauva vers sa hutte en s'écriant:

—Ne me suivez pas, je ne veux plus vous voir !

*
* *

Vers quatre heures, on entend trois coups de feu, à quelques secondes d'intervalle. Ils ont tué une bête, c'est sûr, se dit Hirondelle.

Elle se représente parfaitement la scène qui se déroule, là-bas, où Gaspard et les deux blancs ont abattu le grand mammifère d'Amérique.

Le sauvage a taillé à même un bouleau une large écorce, dont il s'est fait un entonnoir qu'il porte à sa bouche, en guise de trompette, pour imiter le cri de la femelle en rut. Alors commence cette plainte langoureuse, insistante, suppliante, que plus d'une fois, vous avez entendue, par les soirs calmes, au temps des amours impérieuses de la forêt. O ce cri !

— Aheua ! Aheua ! Aheua ! lance la trompette à travers bois.

L'appel déchire le silence et se répercute d'arbre en arbre. On dirait la supplication éternelle de la vie qui sourd de la terre dans sa puissante simplicité et qui ne nous paraît plus ridicule, tant elle est solennelle, émouvante.

— Aheua ! Aheua ! Aheua !

Les chasseurs, haletants, tendent l'oreille. On a bougé dans la forêt.

De très loin vient un bruit. On dirait deux pièces de bois qui s'entrechoquent. Le mâle annonce sa venue. La bête se rapproche. On entend craquer les branches. La course s'accélère. La terre tremble sous la cadence des sabots.

L'orignal surgit. Il ralentit sa marche, hésite, fait halte. Il est magnifique avec son mufle énorme, ses grands yeux tristes, pareils à ceux du cheval, son ample poitrail, ses bois clairs, si larges qu'il faudrait étendre les deux bras pour aller d'une branche à l'autre... Il regarde dans le vague, comme inquiet. A-t-il pressenti que l'homme a imité l'irrésistible cri de l'amour pour le perdre? L'amour et la mort, inséparables compagnons, frôlent les branches et les eaux.

Sur un signe du guide, John fait feu. Un éclair rapide, un tonnerre, un bruit sourd de chute. La bête tombe sur les genoux. Elle se relève. Un second coup. Elle bondit et s'affaisse. Un troisième, elle s'étend en frémissant de tout son corps.......

Les trois hommes arrivent au chalet à la nuit noire. Ils sont fourbus, affamés et contents. Ils parlent tous les trois à la fois, pour raconter leur exploit. John est fier de la précision de son tir. Il s'adresse à Martin:

—Le cœur était éclaté en deux morceaux, dit-il avec enthousiasme. N'est-ce pas Gaspard?

—Monsieur John bon tireur, pas nerveux.

—Et toi, Martin, où sont tes perdrix?

—Dans le coin, à gauche, huit belles pièces. Hirondelle en a tué quatre pour sa part. Quelle femme mon vieux!

Celle-ci survient pour le service du souper.

—Avant de manger, il faut boire à nos santés, dit Marcot. Hirondelle, Gaspard, tout le monde, buvez!

Le scotch circule autour de la salle. Les sauvages boivent à la santé de l'élan mort, à la santé de John, à la santé du guide, à la santé d'eux-mêmes, à la santé de toutes les bêtes.

Une gaîté folle, la gaîté de l'ivresse, s'empare de tous. Gaspard, si taciturne d'ordinaire, devient confidentiel et presque bavard. En transportant les plats, pour la boustifaille des chasseurs, il ne cesse de parler de sa femme.

— Moi abandonner club sans elle... Moi pas vivre sans Hirondelle. Pas une sauvagesse du pays belle comme Hirondelle, pas une blanche non plus! Moi plus heureux que riche de ville.

Martin approuve de la tête. Il regarde la femme à la dérobée. Il ne lui vient pas une seconde à l'idée qu'il est en train de saccager un amour, une vie, de tuer un homme. L'égoïsme et l'inconscience de certains mâles, vrais sauvages, ceux-là, ne connaissent pas de bornes.

L'éloge naïf que fait d'elle son mari rend Hirondelle mal à l'aise. Tout à l'heure, quand elle a fui vers sa hutte, elle a senti qu'elle aimait le blanc. Le baiser qu'il lui a donné brûle encore ses lèvres. C'est une obsession. Elle voudrait secouer cette sensation, se délivrer. Elle n'en a pas la force.

Le mélange du blanc et du Peau-Rouge produit des passions, mais ne donne pas l'équilibre de la volonté.

La métisse est comme paralysée par le regard hallucinant de Martin. En servant la table des chasseurs, elle s'arrête tout à coup, regarde dans le vague. On dirait une bête blessée au cœur et prête à défaillir.

Gaspard regagne sa cabane en titubant. Sa femme, occupée à mettre ordre à la cuisine, le suit bientôt. Martin l'accompagne. Un peu gris, il lui fait des aveux fous:

— Je t'aime, soupire-t-il. Tu ne passeras pas l'hiver ici. Que ferais-je sans toi? Je reviendrai seul, un de ces jours, et je t'emmenerai.

— Moi aussi, je vous aimerais bien si c'était permis. Vous savez que je ne puis vivre avec vous. Que ferait Gaspard? Il mourrait sans moi.

— Il ne t'aime pas comme je t'aime.

— Allez-vous en! Allez-vous en! Je n'en puis plus!

Il l'étreint sous les étoiles.

Cette nuit-là, Hirondelle ne peut souffrir les caresses de Gaspard. Il lui semble que les lèvres de cet homme rencontrent toujours, sur les siennes, le baiser de Martin. Le cœur serré, elle combat ses coupables pensées; mais celles-ci reviennent sans cesse, plus nombreuses, plus véhémentes, plus accablantes.

Les mots du blanc lui trottent dans la tête : "Je reviendrai seul un de ces jours, et je t'emmènerai". Où l'emmènerait-il? Peu importe! Elle irait quelque part, n'importe où, avec ce grand, solide et beau gars, qui la brûle de son regard et de ses paroles. Des paroles! Elle n'en a presque pas entendu, depuis son mariage. Gaspard ne murmure pas à ses oreilles les mots d'amour qui chantent et qui grisent... Pourtant, le sauvage est un rêve de bonté et de douceur. Celui-là, il l'aime pour la vie. Jamais il n'en aimera d'autre, elle en est sûre. Peu de femmes peuvent compter sur un amour éternel. Et elle le quitterait! Puissance de la voix et des mots! Le blanc sait parler. Il a su planter au cœur d'Hirondelle des vocables aigus et doux à la fois, des syllabes tremblantes, émues, pénétrantes, qui restent dans la chair et dans l'âme comme des harpons!

Elle ne dort pas de la nuit, bouleversée. Deux jours entiers, elle tremble, entre son mari, qu'elle sait irréprochable, et ce jeune étranger, qui l'assiège sans répit.

Au départ des chasseurs blancs, Martin lui glisse à l'oreille :

—Souviens-toi de ce que je t'ai dit.

—Comment puis-je l'oublier? répond-elle.

*
* *

Le chasseur blanc revint au commencement de novembre. Il trouva Hirondelle seule dans sa hutte. Gaspard était allé trapper au loin.

—Prépare-toi vite! dit Martin. Nous partons tout de suite.

—Et mon mari?

—Ecris-lui un mot et laisse le papier sur la table.

—Il ne sait pas lire.

—Il comprendra. Le garde-chasse, qui passe ici plusieurs fois la semaine, lira pour lui.

Ce disant, Martin hâta les préparatifs. Il aida Hirondelle à se vêtir et la poussa dehors. Il l'entraîna par le bras. Elle se laissa faire comme un colis inerte. De temps à autre, elle murmurait faiblement:

—Mon Dieu! Mon Dieu!

L'auto démarra. Un grondement de moteur, la course vers l'inconnu. Hirondelle s'en allait. Le garde-chasse les rencontra et cligna malicieusement de l'oeil:

—Quand le chat n'est pas là, les souris dansent.

Gaspard ne revint qu'à la nuit tombante. Il se dépêchait, il avait hâte d'embrasser Hirondelle. Tout le jour il avait préparé ses trappes, choisi les endroits où piéger. Il avait vu des visons traverser une rivière. Dans le bois, un renard avait passé sous ses yeux. Par endroits, des traces évidentes de la présence des martes. La saison s'annonçait bonne. Il raconterait tout, à cette femme qui était sa vie, sa respiration.

De loin il ne vit pas de lumière à la fenêtre de sa hutte. Il faisait pourtant noir et Hirondelle n'aimait pas l'obscurité. Il entendit les chiens hurler, signe qu'ils étaient enfermés seuls. Son cœur se serra.

Il se hâta, franchit la distance à grandes enjambées et sautant sur le perron de la porte, ouvrit. Les chiens dansèrent autour de lui, dans leur joie de revoir quelqu'un. Il appela :

— Hirondelle ! Hirondelle !

Aucune réponse. Peut-être, pensa-t-il, est-elle dans les environs. Il sortit de la hutte et appela :

— Hirondelle ! Hirondelle !

L'écho lui renvoya ses paroles, moqueusement. Il éleva la voix et appela une troisième fois. Vainement.

Malgré sa fatigue et sans prendre le temps de manger, bien qu'il eût faim, il marcha, éclairé d'un fanal, vers le chemin principal. Près du grand chalet, il vit les traces de pneus d'automobile. On avait tourné la voiture à cet endroit, et on avait filé vers le sud. Un doute lui vint, horrible. Puis il secoua la tête:

— Non, non, pas possible!

Affolé, il descendit la route à la course. Comme si ses pauvres jambes avaient pu rattrapper la huit cylindres!...

— Gaspard, où vas-tu de ce train? interpella une voix.

C'était le garde-chasse Henri, qui gagnait son camp, non loin de là.

— Hirondelle pas à la maison! répondit-il.

— Je l'ai vue il y a une heure, dit Henri. En auto avec le jeune Veilleur.

— Veilleur?... Veilleur?... Pourquoi? Hirondelle pas dire à Gaspard.

Henri flaira un drame. Il s'efforça de rassurer le sauvage.

— C'était peut-être une affaire importante. Qui sait? Veilleur te ramènera Hirondelle tout à l'heure, c'est sûr.

— Gaspard avoir peur.

Les deux hommes remontèrent ensemble vers le club. Pour ne pas laisser le sauvage seul, Henri entra dans la cabane. On alluma la lampe. Un bout de papier traînait sur la table:

— Avoir écrit quelque chose ici; moi pas savoir lire

— Montre-moi ça, veux-tu?

Henri lut à haute voix:

"Gaspard, pardonne-moi! Je suis partie. Je ne pouvais plus rester ici".

Le sauvage ne prononça pas une parole. Son visage ne trahit aucune émotion. Sa douleur était toute en dedans, de ces douleurs qui tuent, parce qu'elles refusent de sortir.

Henri, qui ne s'était jamais trouvé en présence de situations pareilles, se contentait de dire:

— Pauvre ami! Pauvre ami!

A la fin, le sauvage lui fit signe de s'en aller:

— Gaspard vouloir penser, besoin de penser.

Il resta seul avec ses chiens qui semblaient comprendre la souffrance de leur maître et qui se frôlaient sur ses jambes. Minuit, une heure, deux heures, il n'était pas couché. Immobile sur son étroite et dure chaise, les yeux égarés, il cherchait à réunir ses idées dispersées par la tempête comme des feuilles d'automne. Pas un éclair de haine ou de colère dans son regard. Il cherchait à comprendre. Le jour allait poindre quand il vit clair dans son âme. Si elle est partie, songeait-il, c'est qu'elle n'était pas heureuse avec moi. Le bonheur qu'elle me donnait, je ne le lui rendais pas. La partie n'était pas égale. Cela ne pouvait durer. S'il est vrai qu'aimer est vouloir la joie de l'être qu'on aime, je ne reproche pas à Hirondelle de poursuivre sa joie. Elle ne me doit rien, puisque c'est elle qui me donnait tout et que je ne lui rendais rien.

Si bon était le cœur de Gaspard, si grande son âme, si absolu son amour, si dépouillé d'égoïsme, qu'il accumula toutes les raisons humaines de pardonner. Il gardait le blâme pour lui-même, lui qui avait pourtant, dans l'amour, cette intégrité, cette sainteté qui font la beauté de l'homme.

Mais sa sensibilité était à bout. Et quand le premier rayon de soleil filtra par la fenêtre, il éclata en sanglots.

*

* *

Quinze décembre. La neige couvre tout le pays. Dans les bois, on en a jusqu'à la ceinture. Les chevreuils, dans leurs "ravages" (1), sont assaillis par les loups, qui les forcent hors des abris de sapins et, les poussant dans l'épais tapis blanc, les laissent s'embourber, se morfondre, puis, leur sautent à la gorge. Il y a des traces de sang dans les sous-bois. La nuit suivante, il neige encore, et la tache rouge s'efface.

---

(1) Les "ravages" sont les endroits de la forêt où certains animaux sauvages hivernent par groupes.

Trois tempêtes ont balayé le Club, depuis le départ d'Hirondelle. Le vent n'atteint que légèrement la hutte protégée par les montagnes, mais, à la crête des arbres, le sauvage entend des sifflements. Il ne dort plus, depuis que l'aimée n'est plus là, il écoute les voix de la nature. Par la fenêtre, à la lueur de la lampe, il voit les cristaux innombrables battre la vitre comme des papillons attirés par la flamme. Des papillons, des papillons! Ce sont les insectes blancs et affolés. Dans son hallucination causée par la fatigue, il les regarde avec des yeux immenses. Ils sont des milliards qui se précipitent vers la flamme, des milliards qui n'apprennent rien, qui ne profitent pas de l'expérience de leurs devanciers et qui, fous et joyeux, meurent de la même façon... C'est comme toutes les générations de vivants, tous les milliards d'humains, qui, depuis des siècles, se sont jetés sur le même mur et s'y sont assommés... "Zi... Zi... Zi... Zi..." font les papillons de neige, font tous les hommes et toutes les femmes... Et les petits cadavres, accumulés sous la fenêtre, sont de nouveau soulevés par le vent et dansent en tourbillon... Qu'est-ce? Gaspard pousse un cri. Un papillon très grand, grand comme une femme, avec un visage tout pareil à celui d'Hirondelle, s'est abattu avec un bruit mat sous la fenêtre... Le sauvage se lève d'une pièce... Ce n'est rien que la chute d'un gâteau de neige qu'une branche de tamarac secoue dans une bourrasque.

Le matin vient. Gaspard n'a pas fermé l'œil. Il sort. La tempête s'est calmée. Le ciel est tout blanc. Le soleil ne paraît pas, on le sent partout sous le dôme immense. On dirait que l'atmosphère est de porcelaine. Tout à l'heure, le sauvage attellera ses deux chiens et repartira, comme d'habitude, pour la tournée de ses pièges. Il sera deux jours absent. Huit milles plus haut, il a dressé une tente où il passera la nuit, entre ses bêtes, à côté d'un réchaud minuscule, qui s'éteindra durant le sommeil.

Il marche en raquettes derrière le traîneau. Ces tournées dans la forêt blanche, il les fait machinalement, comme dans un songe. Depuis qu'il a perdu Hirondelle, sa lucidité habituelle l'a quitté. Il avance dans un demi-somnambulisme peuplé de visions sombres. La vue d'une mésange morte sur la neige lui présage le malheur. Il va de piège en piège, de lac en lac, toujours dans un silence qui l'oppresse. Il y a des semaines qu'il n'a perçu aucune voix humaine. Il ne perçoit pas même le bruit de ses pas, dans le tapis trop moelleux que foulent ses raquet-

tes. Il n'entend rien, rien. Ses oreilles vou-
draient être frappées de sons articulés, elles
s'ennuient. Pour les distraire, Gaspard commande sans nécessité à ses chiens :

— Dick ! Jack ! Hue ! Dia !

Le son se perd dans la neige, qui absorbe
tout, qui amortit tous les chocs. Aucun écho,
l'écho divin, qui permet aux esseulés de conver-
ser avec la nature, disposée à apprendre les
mots humains en les répétant.

Vers le milieu de l'après-midi, le vent du
nord commence à souffler. Le froid augmente.
Le sauvage traverse un grand lac, derrière ses
chiens, dont la gueule lance des jets de vapeur
blanche. La poudrerie s'élève. D'abord, ce sont
de petits souffles brusques, qui transportent en
tournoyant des plaques de poussière cristallines
et qui expirent aussitôt. Le grand vent, dépêche, avant de venir, des milliers d'éclaireurs invisibles, qui dansent dans la blancheur et taqui-
nent la neige du pied pour en éprouver la légè-
reté. Après quelques minutes de ces rondes diaphanes, que le soleil traverse de rayons étoilés
de cristaux, la bise arrive elle-même, mugissan-
te et glacée. Elle ne déchire pas le tapis neigeux,
elle ne le soulève pas par parcelles, mais elle en
remue toute la surface à la fois, le lance dans la
lumière, puis le pousse, en beuglant, vers le sud.
La poudrerie glisse par voiles diaphanes, à gran-

de vitesse. On dirait une armée infinie de fantômes en guipure, délivrés des lois de la pesanteur, des âmes errantes et candides, sorties d'une terre désespérément blanche et pulvérisant dans la clarté du jour les restes de matière attachée à leurs ailes.

Gaspard et les chiens halètent sous la flagellation de cristaux qui les frappent à la tête. La neige ondule, s'accumule par bosses et par bancs. Le vent redouble. Les bêtes accélèrent leur course. Et les traces des raquettes, derrière Gaspard, s'effacent à mesure, aussi vite que le sillon d'une barque, ainsi que le souvenir de toute vie humaine.

Tout blême, de son ciel froid et immuable, le soleil baigne cette mer de prismes, où flamboient de pures couleurs. Des teintes d'un azur infiniment délicat forment l'ombre des bancs de neige : des linons d'un rose clair, invraisemblable, couvrent la crête des ondes blanches; des parcelles de vert, de mauve, de violet et d'orange se laissent bousculer par le vent. Toute cette splendeur est d'une beauté cruelle, féroce. Le nord a une âme marmoréenne. Sculpteur des formes mouvantes et des formidables fantaisies de l'hiver, peintre des nuances infinies et insaisissables, qu'il dérange sans cesse, de peur de les livrer aux humains, créateur des grimaces des visages vivants qu'il gifle et mord

dans le vent, il est l'artiste impassible qui fixe
la beauté dans la souffrance et la mort, qui attend que la nature tombe en léthargie pour en
modeler brutalement les traits sans avoir à
vaincre ses résistances. Dans cette étendue morte, que l'on sculpte, peint et modifie sans cesse,
seuls un homme et deux chiens résistent, et le
nord s'acharne contre eux pour les immobili-
ser à jamais dans l'immense toile.

De l'autre côté du lac se dresse la tente.
Gaspard l'a plantée à l'abri des vents, dans un
repli de la montagne, au bord d'un étang. Il a
hâte d'arriver, de faire un bon feu, de s'étendre sur les branches de sapin, avec ses chiens
fourbus. Depuis une heure, la rafale le cingle
au visage. Le froid lui pince le nez et les joues.
De temps à autre, il prend une poignée de neige et se frotte énergiquement la peau pour éviter l'engelure. Au bord de ses yeux, pendent
des paillettes de cristal plantées dans ses cils.
Sur son menton, la salive qui s'échappe de sa
bouche, tant il halète, s'est figée en glaçon. A
travers ses longs bas la transpiration des jambes forme une vapeur, et, sur la laine, la neige
se durcit par plaques, ciment de sueur et de
glace.

Enfin, on atteint l'autre rive. Il ne reste
plus qu'à franchir un dos d'âne, et c'est là qu'on
se tentera pour la nuit. Il fait presque noir.
Gaspard, Dick et Jack, comme il sera bon, tout

à l'heure, de manger à grandes gueulées, près
du minuscule fourneau de tôle, où pétillera la
flamme!

— Misère de misère! dit Gaspard en arri-
vant de l'autre côté de la colline, au fond du
ravin.

En approchant, il est d'abord surpris de ne
plus voir la tente. Elle est tombée, pense-t-il,
et la neige l'a recouverte. Mais plus cruelle est
la réalité. En déblayant profondément, il ne
trouve que des débris de toile calcinée.

La tente a brûlé en son absence. Lors de
son dernier voyage, Gaspard a éteint le feu,
mais, sans doute un charbon allumé est resté
dans les branchettes sèches qui couvraient la
terre. L'abri est consumé.

— Gaspard être distrait, parce que malheureux, murmure le sauvage. Rien oublier si Hirondelle être là.

Il ne peut être question de descendre le soir
même à la hutte. On vient de piquer à travers
bois, par un sentier qu'on ne retrouve plus la
nuit, alors que les points d'orientation se déro-
bent. C'est ici qu'il faut coucher.

Gaspard a plus d'une fois dormi dans la
neige. Il choisit l'endroit où celle-ci a le plus
d'épaisseur, et creuse la fosse toute blanche qui
lui servira de maison pour la nuit. Il n'a pas
de pelle. Il fait voler les cristaux avec ses
mains. Il fera bientôt noir. Les dernières lueurs

du crépuscule s'effacent. Des étoiles bleues brillent nettement dans le firmament, qui est d'une pureté absolue. Il fera un froid de loup cette nuit, pense Gaspard.

Il va chercher le seul lambeau de toile que le feu a épargné, le pose au-dessus de l'excavation et recouvre le tout d'une épaisse couche de neige. Il mange de la viande et des tartines gelées, dures comme bois. Puis, avec ses deux chiens, il se glisse sous la toile, bouche l'ouverture, encore avec de la neige, et s'installe sur la peau d'ours qu'il traîne toujours avec lui.

On n'entend plus rien du dehors. Il fait presque bon dans l'abri glacé. Trois être amis se réchauffent de leur haleine. Aussi primitif que l'homme des cavernes, plus malheureux sans doute, Gaspard est enseveli avec sa douleur. Couché avec des bêtes, dans un trou plus misérable et plus froid que l'étable de Bethléem, en cette nuit de décembre, il pense moins à sa misère de trappeur qu'à son Hirondelle. Il évoque les doux sommeils dans la hutte, en ce septembre merveilleux, où la chaleur d'un corps féminin se répandait dans le sien. Il ne sommeille pas, il s'engourdit lentement. Des visions féeriques apparaissent à ses yeux émerveillés. Il lui semble qu'il est dans sa bonne et chère cabane, qu'il est grand jour, que sa femme est là, sur le pas de la porte et fait signe à tous les animaux de la forêt de venir. Les cas-

tors, les loutres, les visons, les martes, les pé-
cans, les renards, les ours, l'entourent et attendent son ordre. Elle leur commande d'entrer.
Les animaux remplissent le camp. Il y en a tellement qu'ils s'accumulent les uns sur les autres
en plusieurs rangs de fourrures.

— Voilà comment il faut chasser, Gaspard !

— Toi séduire tout, Hirondelle, même bêtes
des bois.

Gaspard revient à lui. Il frisonne. Il n'a pas
très froid, non, car toute la chaleur des corps
reste dans la fosse. Mais il sent bien qu'il sera
malade. Les peines endurées depuis tant de semaines ont affaibli sa résistance. Il n'a presque
pas dormi, presque pas mangé, depuis la catastrophe.

Dès le petit jour, il fait manger ses chiens,
pour descendre ensuite au plus vite. Il fait une
trouée dans son abri et sort sa tête. Le froid
est brûlant.

— Brr ! Temps dur ! dit-il.

Péniblement, dans ce pays blanc, implacable
et cruel, où personne ne songe à lui, Gaspard
revient vers la maison, laissant sur la neige la
fragile empreinte de ses raquettes.

*

* *

Martin Veilleur, après quelques semaines
d'ivresse, s'était refroidi. Hirondelle lui avait

donné tout ce qu'il avait voulu ; il n'avait plus rien à lui demander ; elle n'avait plus rien à lui offrir. Elle était désaxée, perdue. Il était désabusé.

Tout d'abord, Martin avait installé la métisse dans un appartement moderne, où il la visitait quotidiennement. Dans les premiers temps, tout allait pour le mieux. La femme des bois venait de découvrir l'amour. Elle s'y livrait avec une sorte de frénésie. Le souvenir du passé était comme aboli en elle. Ses sens et son âme étaient pris. Sans doute, sa mère avait éprouvé les mêmes sensations, un jour que, dans les bois, au cours d'une chasse, elle avait été prise, à seize ans, par le blanc qui allait devenir son mari et engendrer Hirondelle. Le sang des deux peuples, en se mêlant, avait formé cette femme splendide, qui faisait aujourd'hui les délices d'un petit bourgeois fantaisiste et débauché.

Martin se dégrisa au bout de quinze jours. Peu apparent la première semaine, le scandale ne tarda pas à éclater par toute la ville. On s'en gaudissait dans les milieux potiniers, où les vieilles filles et les femmes sur le retour parlaient avec ironie de la sauvagesse à Martin. Quand il apprit la chose, le père du jeune homme fit une colère blanche et rabroua brutalement son fils :

— Le sauvage, en cette affaire, dit-il, c'est toi, mon garçon. Qu'est-ce que tu vas faire de ça, maintenant? Et comment peux-tu la renvoyer à son mari sans l'exposer à se faire tuer? Imbécile! Imbécile! Quand on n'a pas assez de boussole pour se conduire droit, on prend les femmes, on ne les adopte pas, surtout quand elles sont des sauvagesses. Si tu as des embarras, ne compte pas sur moi pour te tirer d'affaire. Tu m'as assez longtemps exploité. Débrouille-toi tout seul!

Le père avait le parler rude. Martin sentait bien qu'il avait raison. Il n'osa pas répondre et s'éloigna en baissant la tête. Il pensait déjà aux moyens de se défaire d'Hirondelle.

Dans son cadre de forêt et de montagnes, le long des portages où gloussaient les perdrix, la métisse était sinon une déesse, du moins l'être le plus attachant des bois. Voir apparaître ce visage ferme et frais, aux prunelles brûlantes, entre les arbres, c'était un spectacle capable de remuer tout jeune homme jusqu'aux entrailles. Mais dans une grande ville, où toute femme est pommadée, maquillée, refaite avec tant d'art que les laides elles-mêmes ont un charme, une Hirondelle n'est plus qu'une pauvre petite chose. Certes, la nature l'avait faite spirituelle et intelligente, mais elle n'avait rien vu, de ce monde, que la forêt, son hameau de la Côte Nord et le bois où Gaspard l'avait emmenée. Elle connaissait la faune, la flore, les conifères de son pays, et elle racontait, avec vivacité, des histoires de chasse et de pêche. Là s'arrêtaient sa science et sa conversation. Bientôt, elle n'eut plus rien à apprendre à Martin. Quand ils se revoyaient, ils n'avaient rien à se dire. L'instant d'amour passé, ils étaient une heure sans ouvrir la bouche. Hirondelle, sentant que son amant s'ennuyait, entourait son cou de ses bras et lui murmurait:

— Je t'aime, Martin! Tu ne sauras jamais combien je t'aime!

Il était las de se l'entendre dire. A la fin, il recevait ses aveux avec une lassitude et une froideur visibles. Elle sentit combien elle tenait peu de place dans la vie de son ravisseur.

En décembre, il n'y pouvait plus tenir. Pour se libérer il envoyait Hirondelle au cinéma, au théâtre, dans les magasins. Il lui donnait beaucoup d'argent. Par vanité et pour qu'elle eût bonne apparence, il lui avait acheté de belles toilettes. Elle aimait les robes qui la moulaient toute et qui allaient bien à la minceur de son corps souple. Mais la générosité n'avait d'autre but que d'aider l'amant à dégager sa conscience et excuser l'abandon qu'il préméditait.

Un soir que sa maîtresse était sortie, Martin entra chez elle et déposa, sur sa table de toilette, une enveloppe, dans laquelle il avait mis dix billets de cent dollars, avec ces simples mots : "Des raisons très graves m'empêcheront désormais de revenir te voir. Je t'embrasse. Adieu ! "

*

*   *

Vingt décembre. Hirondelle pleure depuis deux jours. Par une loi de compensation qui agit mystérieusement pour tous les êtres, elle souffre elle-même la peine qu'elle a infligée à Gaspard.

Son parti est pris : elle retournera dans le bois. Elle se jettera aux pieds de son maître et lui demandera le pardon ou la mort. Peu lui importe la vie maintenant !

Dès six heures du matin, elle se fait conduire en automobile à quelques milles de la ville. Là, la route d'hiver, non déblayée, ne porte plus un véhicule moteur. Un fermier s'offre de la mener en carriole. Un bon cheval n'arrivera pas au terme avant la nuit. Il faudra même s'arrêter à deux milles des chalets du club et faire le reste à pied.

— Prêtez-moi des mocassins et des raquettes, voulez-vous ? demande Hirondelle.

— Avec plaisir, dit le paysan. Mais vous n'aurez pas peur de faire ce chemin-là toute seule?

— Non. Je connais l'endroit. Une métisse ne craint pas le bois, même la nuit.

Vers six heures du soir, sous une forte neige poussée par le nord-est, Hirondelle paraît sur la hauteur qui domine les chalets du club. Elle regarde en bas. Aucune lumière dans la hutte.

— S'il n'était pas là . . ., dit-elle avec angoisse.

Elle presse le pas. Son coeur bat comme à l'approche d'un drame. Tout à coup, elle s'arrête et prête l'oreille. Elle a entendu comme un long cri. L'instant d'après le cri se répète dans le silence tragique.

C'est un chien qui hurle.

Elle n'aime pas les hurlements des chiens. Elle se souvient que, dans son enfance, les vieux voyaient, dans cette plainte de la bête, un présage de mort.

Hirondelle court plutôt qu'elle ne descend la côte qui dévale vers la hutte.

Quand elle n'est plus qu'à cinq cents pieds de la petite maison, elle s'immobilise dans la neige.

Maintenant qu'elle est tout près, elle a peur. Un instinct puissant la repousse de ce lieu de malheur.

Elle revoit alors l'heure maudite où elle a cédé à cet étranger qui l'a perdue. Ici même, pense-t-elle, il l'a prise par le bras et l'a conduite à sa voiture. Elle n'a protesté que faiblement. La fascination du blanc était plus forte que sa volonté.

Elle se raidit enfin, fait appel à son courage et va résolument à la hutte.

Elle frappe. Aucune voix humaine ne répond. Seul le jappement furieux des chiens lui fait écho. Elle ouvre. Les bêtes s'élancent comme pour lui sauter à la gorge.

— Jack! Dick! c'est Hirondelle!

Les chiens se calment.

Elle regarde tout autour. Il fait froid. Le feu est éteint. Personne ne bouge. Elle prête l'oreille plus attentivement et entend, venant du grabat, comme un râle.

— Gaspard! Gaspard! crie-t-elle.

Les râles se succèdent et lui paraissent formidables.

Elle allume la lampe et s'approche en tremblant de la chambre de son maître.

A sa vue, elle pousse un cri de terreur.

Le sauvage est malade depuis sa dernière tournée de trappeur. La nuit qu'il a passée dans la neige lui a donné le coup fatal. Rongé par la fièvre, respirant à peine, il a fait du feu et nourri ses chiens pendant trois jours. Puis, il s'est alité pour ne plus se relever.

L'agonie est commencée depuis au moins deux heures.

Le nez pincé, les lèvres exsangues, il souffle péniblement et avec un bruit rauque.

— Gaspard! Gaspard! crie Hirondelle. Reviens! Reviens! Ne meurs pas!... Dis au moins que tu me pardonnes!

Il semble comprendre et tourne vers elle des yeux si grands, si grands, qu'elle en frissonne. Est-ce un reproche? Est-ce un pardon?

Elle se jette sur le moribond, toute secouée de sanglots:

— Pardon! Pardon! Je t'ai tué! Je t'ai tué!...

Alors, une main remue sous elle, faiblement, mais avec insistance. Cette main décharnée trouve la main d'Hirondelle.

Les longs doigts de Gaspard se ferment fortement sur ceux de la métisse.

Puis, une paix éternelle descend sur le visage du sauvage.

Hirondelle reste seule à jamais... abandonnée... hagarde... Elle ne voit rien devant elle, devant sa vie, qu'un abîme de ténèbres.

FERNANDE et NOEMI

A mes trois filles,
Carmen, Claire et
Jeanne.

FERNANDE

Qui a dit que la vie n'était pas un roman?
Il en pleut partout, des romans. Chaque feuille
de journal en contient deux ou trois. Chaque
heure nous en compose des pages. Recueillez
bien vos souvenirs, depuis votre premier cha-
grin d'enfant jusqu'à votre dernière désillusion,
scrutez vos sentiments, vos pensées, vos réac-
tions devant les événements, et vous vous
apercevrez que le premier des romanciers, c'est
la vie.

Ainsi parlait Paul Lalande. Il s'adressait à
Louis Maltais, médecin et fin lettré, chez qui il
était venu causer une heure en dégustant du
porto. Cheveux en brosse, pommettes saillantes, verbe haut, il était sympathique et bon
enfant, malgré sa manie de prendre ses para-
doxes au sérieux.

D'habitude, Maltais l'écoutait avec un visible plaisir. Il avait maintenant l'air préoccupé, abstrait. C'était un homme dans la cin-

quantaine, au visage glabre, au crâne chauve,
aux traits délicats, avec un de ces nez longs et
pincés qui donnent tant d'expression à une
physionomie et qu'on prendrait volontiers pour
le soc matériel d'un esprit éminemment apte à
pénétrer les pensées des autres.

— Le romancier, continuait Paul, n'aurait,
pour faire ses livres, qu'à ramasser dans la rue
les innombrables petits drames qui y tombent.
On oublie trop souvent que le réel dépasse
l'imaginaire. Les figures les plus communes
recèlent de tragiques secrets. Exemple : tous
les matins, un facteur quelconque m'apporte
mon courrier. Allant toujours du même pas,
répétant le même geste, parlant d'un ton neutre,
il a l'air d'un automate. Un soir, grande com-
motion dans la ville. On me dit qu'un for-
cené a tué deux de ses soeurs, sa nièce, ses deux
neveux et un de ses patrons, tout en blessant
grièvement trois personnes. Le lendemain matin, à ma grande surprise, j'apprends par le
journal que l'auteur de l'attentat est mon facteur. Les dramaturges les plus puissants, Shakespeare excepté, n'auraient pas imaginé mieux
ou pire.

Louis Maltais, qui, jusque-là, avait semblé
à cent lieues du verbiage de son ami, se tourna
tout à coup vers celui-ci :

— Il ne faut pas exagérer, dit-il, l'importance du réel ou, si vous préférez, de la chose

arrivée. Le livre de fiction qui ne serait pas le calquage des faits ne serait pas écrit avec âme, avec enthousiasme. Il ne serait pas beau. Il y a le roman qu'on vit, celui de tout le monde, et qu'on ne devrait pas écrire; il y a le roman qu'on rêve, celui des âmes supérieures, et c'est le seul qui vaut la peine d'être écrit. Balzac n'a pas vécu une seule de ses oeuvres d'imagination, et s'il arrive à quelques autobiographies d'avoir du succès, ce n'est pas tant par la réalité qu'elles contiennent que par l'illusion, le mirage, le désir. Ceux-là le sentent bien qui ont lancé la mode des biographies romancées des hommes célèbres.

Permettez-moi de vous raconter un souvenir personnel qui éclaire singulièrement cet aspect de la création littéraire. Il y a de cela dix ans. J'avais connu, dans ma jeunesse, une charmante enfant du nom de Fernande Allais. Ses parents, paysans aisés de l'île d'Orléans, s'étaient saignés à blanc pour lui procurer une éducation supérieure. A dix-huit ans, elle sortait du couvent des Ursulines de Québec, non seulement couverte de brevets et de mentions, mais avc une beauté épanouie et une distinction exquise.

Ses cheveux bronzés, à reflets roux, châtoyaient comme de la braise. Ses yeux avaient pris la couleur bleue du fleuve qu'ils contemplaient souvent. Un petit nez sensible et délicat, une bouche aux lèvres charnues et rouges, un ovale ferme et régulier ...

Elle allait souvent s'asseoir sur la grève, pour y chercher la solitude, et, afin d'assouvir ses goûts d'artiste, elle griffonnait ses impressions, ses rêves, faisait des croquis ou même des vers.

C'est alors que je la connus. Pendant mes vacances, au bout de l'île, j'allais souvent me promener au bord du fleuve, et là, tous les jours, à la même heure, je la voyais. On ne m'avait jamais présenté à elle, mais je pris le risque de lui parler.

Elle accepta ma compagnie avec simplicité. Je me plaisais à sa conversation, car elle possédait cette chose rare : l'intelligence unie à la beauté. Nous prîmes l'habitude de ces rencontres. Elle me confiait sa passion de savoir, son désir de changer de milieu, ses aspirations vers un bonheur au-dessus du commun. Elle parlait surtout de Paris avec un feu, un élan, qui illuminait toute sa svelte personne.

Un été que je revenais dans l'île, on m'apprit que Fernande était mariée et demeurait en ville. Je n'entendis plus parler d'elle.

*

*   *

Quelques années plus tard, par un matin pluvieux d'automne, j'expédiais mes affaires

de routine, avant ma visite des hôpitaux, quand sonna le téléphone :

— Fernande Allais à l'appareil.

— Pas possible ! Fernande, la petite Fernande de l'île, avec qui j'aimais tant à causer ?

— Exactement, monsieur... Mais elle a bien changée, Fernande. Ne vous étonnez pas si je suis assez hardie pour vous appeler. J'ai souvent pensé à vous. La timidité m'empêchait de vous déranger... Maintenant, c'est différent. Je ne vais pas bien du tout ; c'est à grand' peine que je me suis traînée chez le voisin pour vous appeler... J'aurais des choses à vous confier, bien des choses... Ne pourriez-vous pas venir ?

J'y courus. Sur le pas de la porte, une senteur de pharmacie. J'entrai : une pièce basse et sombre, dont les murs exhibaient du papier-tenture sale et balafré ; autour de moi, des chaises boiteuses, des fauteuils crevés, une table nue. L'homme qui m'avait ouvert était hâve et abruti. Il fumait un tabac puant et crachait par terre.

— Il y a une malade ici ? dis-je.

— Oui, ma femme, là, dans la chambre du fond. Elle file un mauvais coton depuis des mois.

Je n'avais guère besoin d'une autre présentation pour faire mon diagnostic.

Fernande, m'apercevant, cria de joie et me tendit la main. Quand je la saisis, cette main décharnée, dont les longs doigts prenaient déjà la forme hideuse du squelette, je frisonnai. Comme la maladie a vite raison de la beauté! Le visage creusé de cette femme, les cheveux déjà gris et les yeux profonds dans leurs orbites, me firent mal au cœur, malgré mon habitude médicale, qui me met chaque jour en présence de ces misères. C'est que j'avais gardé, de Fernande, l'image la plus délicieuse.

— Je suis changée, n'est-ce pas? dit-elle.

— Un peu, pas beaucoup... Je vous aurais reconnue sans peine. Deux mois après votre guérison, il n'y paraîtra plus rien.

— Ma guérison?... Je ne me fais pas d'illusion, allez.

A ce moment, l'homme qui m'avait reçu parut dans la porte et avertit Fernande qu'il sortait.

— C'est bien, Eudore, mais ne tarde pas trop à rentrer.

— Sois sans inquiétude, la petite.

Et il s'éloigna en chantonnant.

— C'est mon mari, dit la malade. Depuis notre mariage, il me dit toujours, en sortant: " Sois sans inquiétude! " Ce qui ne l'empêche pas de me revenir ivre ou de coucher parfois à l'hôtel de ville.

Elle haletait, avec cette voix couverte qu'ont tous les tuberculeux, à certaine période du mal.

— Quand j'ai épousé cet homme, poursuivit-elle, je savais bien que ce n'était pas mon rêve, mais il était gentil, intelligent même. Il m'aimait tant qu'il eût fait les pires folies pour me plaire. Et je commençais à m'ennuyer chez moi... Le bonheur n'a pas duré longtemps. Ivrogne, querelleur, paresseux, Eudore a perdu toutes ses places. La misère est rentrée chez nous. J'ai cherché à travailler. On me refusait partout. J'ai été vendeuse dans un grand magasin. C'est là que la maladie est venue. Je passais mes journées dans les courants d'air... Quand il n'y eut plus rien dans la maison, mon mari s'est mis à boire de plus belle. Il m'a battue tant et tant... Je n'avais plus même la ressource de retourner chez mes parents : ils sont morts.

L'effort qu'elle faisait pour raconter son histoire semblait la fatiguer. Je l'invitai à se taire pour l'ausculter. Question de jours, de semaines tout au plus... Elle était finie.

Je revins plusieurs fois. Elle causait sans cesse, avec des moments de gaîté qui lui rendaient fugitivement sa beauté perdue. Des fois, je la surprenais dans son sommeil, rêvant tout haut: " Jean! mon Jean!" Elle s'éveillait à ce cri. Je ne savais pas encore pourquoi elle prononçait ce nom.

Sa vie diminuait d'heure en heure. Le sentait-elle? Peut-être, car elle demanda franchement, dans les derniers temps:

— Je vais mourir? Dites-le-moi courageusement. Il m'a semblé, autrefois, que vous ne saviez pas mentir. Je vous ai fait venir pour savoir la vérité. Vous seul m'avez inspiré confiance, vous seul saviez me parler quand j'étais jeune fille.

Je cherchai, par faux-fuyants, à éviter la cruelle réponse. Mais elle insistait avec tant de conviction que je ne pus m'empêcher de lui dire:

— Je souhaiterais vous guérir.

Elle comprit et n'en parut pas bouleversée.

— Combien me reste-t-il à vivre? dit-elle simplement.

Je gardai le silence. Elle en conclut que sa vie ne tenait plus à grand'chose.

— Veuillez ouvrir ce coffret, dit-elle en me désignant une jolie boîte. Il contient un manuscrit pas très long. C'est ma vie, ma vraie vie, dégagée de ses misérables apparences. Vous verrez qu'elle est belle, ma vie... Je la quitte sans regret: j'y ai eu ma part de joie...

Sa voix rauque se perdit dans un accès de

toux. Sur le mouchoir qu'elle portait à sa bouche, un filet de sang.

*
*   *

Louis tira d'un classeur une liasse de pa-
piers jaunis, maculés d'une fine écriture.

— Voici le document, dit-il à Paul Lalande. Je le conserve parmi mes plus chers souvenirs. La femme qui a écrit ces lignes ne pouvait
faire un chef-d'oeuvre, mais cette prose un peu
naïve, trop romantique, m'émeut. Quand je
tirai l'écrit de son petit coffret, seul bijou de
la maison, Fernande me dit:

— Lisez-le tout haut, près de moi, voulez-
vous ? Je vous écouterai. C'est un rêve que
j'ai fait. Il bercera ma douleur en attendant la
mort.

Je lus donc ces pages étranges, à côté d'une
mourante. Veux-tu les entendre toi-même?

— Assurément !

— Ecoute :

NOÉMI

Fille d'un paysan de l'île d'Orléans, Noémi
Dubreuil avait été formée dans les meilleures
institutions. L'obscurité de sa naissance ne
l'avait pas empêchée d'avoir de la beauté, du
talent, de l'esprit et des goûts d'artiste. Tous

l'aimaient. Elle était bonne et sensible, et ses
yeux bleus flottaient toujours entre le sourire
et le rêve.

Elle sortit du couvent à dix-huit ans. Elle
était déjà une œuvre d'art. Un magicien avait
choisi, un jour, pour la faire, le plus beau marbre qu'eût jamais sculpté le génie, et il y avait
insufflé la vie. Il fallait la voir passer avec ses
boucles de cheveux qui flamboyaient sur sa nu-
que, son long corps mince et souple, sa démarche gracieuse. Les jeunes gens se retournaient
sur son passage et la suivaient longuement de
leur désir.

On ne tarda pas à la remarquer et à l'invi-
ter dans plus d'une maison de campagne, où des
touristes de la bonne société venaient passer la
belle saison. Elle y avait un maintien si aisé,
si distingué, sans l'ombre de snobisme, qu'on
l'eût prise pour une aristocrate de vieille date.
Et elle vivait ainsi ses dix-huit ans, marchant
dans des remous d'hommages. La discrète
louange des gens parfumait ses heures sans
attiser sa vanité.

Elle visitait souvent, au bout de l'île, un
vieux peintre sympathique, qui, la trouvant
belle et spirituelle, prenait plaisir à l'initier à
son art et aux mystères de la couleur et de la
lumière. Tous deux s'attardaient souvent devant des toiles préférées, entre autres un coin

de forêt intitulé: " Octobre ". Sur ce paysage
splendide, où châtoyaient les invraisemblables
couleurs de l'automne, tombait du ciel une
clarté sereine. L'atmosphère paraissait d'une
tranquillité absolue. C'était si calme qu'on
croyait entendre penser les arbres. Devant ce
tableau, le peintre et la jeune fille se taisaient
toujours, parce qu'il donnait l'impression, presque la sensation, du silence et de la mélancolie.

Parfois l'artiste, qui avait passé sa vie à
peindre la fruste nature avec ses paysans, se
plaignait d'être envahi par la foule et les ma-
chines. Le bruit d'un moteur d'automobile
l'indignait. " Quand je suis venu ici, disait-il,
l'île était le dernier refuge des esprits et des
fées. Tous les soirs, des lutins venaient danser
sur cette grève, à deux pas d'ici. Au-dessus de
nos têtes, de grands canots d'écorce, pleins de
démons, glissaient dans l'air en semant sur
nous des refrains bachiques. Des fées délicieu-
ses se cachaient dans le coeur des arbres...
L'âcre senteur de l'essence a chassé cette poésie
comme certains poisons tuent les papillons ".

Une après-midi que tous deux prenaient le
thé en plein air, face au promontoire de Québec, passa un " Empress " énorme, qui, de ses
trois cheminées, crachait un nuage de suie dans
le bleu du ciel. On distinguait, de terre, les pas
sagers accoudés aux bastingages.

— Moi aussi, disait Noémi, je voudrais traverser les mers. J'ai cette ambition d'aller à Paris, de m'asseoir à la terrasse d'un café et de voir défiler devant moi tous les peuples du monde réunis dans la cité merveilleuse.

— Est-ce là tout votre rêve ?

— Non. Je voudrais épouser l'homme que j'aimerai plus que moi-même. Il serait beau, bon, fort, brûlant d'amour. Nous irions là-bas ensemble, transfigurés de joie, et, au retour, nous aurions une si grande provision d'heureux souvenirs que la vie ne suffirait pas à les épuiser.

Le peintre souriait et disait :

— Je souhaite que les fées de l'île reviennent, un soir, vous toucher de leur baguette, pour vous permettre de vivre votre vie.

Quelques heures plus tard, Noémi, avant de s'endormir pour la nuit, voyait se pencher sur elle une femme si belle, si belle, que les peintres de la grâce, comme ceux du dix-huitième siècle, n'en firent jamais de pareilles. Une lumière sortait de toute sa chair et suffisait à éclairer la chambre.

— Petite Noémi, dit l'apparition, tu épouseras un homme beau, fort, bon et brûlant d'amour. Tu traverseras les mers avec lui. Tu seras son idole. Jamais homme ne combla tant une femme. Il vivra par toi, tu vivras par lui, et votre félicité durera toujours.

— Est-ce qu'un pareil bonheur peut durer toute la vie ?

— Oui ... pourvu que cette vie soit courte.

— Alors, il ne nous sera pas permis de vivre longtemps ?

— C'est à prendre ou à laisser : ou bien vous vivrez longtemps et le bonheur se lassera de vous, ou bien vous vivrez peu et vous n'aurez connu que la joie.

— Soit ! ... Mais qui êtes-vous ?

— Je suis la fée de l'île.

Noémi s'endormit sur cette vision.

*

*   *

Une après-midi qu'elle allait visiter son ami le peintre, elle vit, en entrant chez lui, un jeune homme d'environ trente ans, de taille moyenne, très élégant. Son corps souple exprimait la force, la virilité et le raffinement. Quand Noémi put voir ses traits, elle en fut singulièrement frappée. Il lui sembla qu'elle l'avait déjà vu quelque part et qu'elle le situait dans un vague

souvenir. Elle avait tiré son image des mysté-
rieuses profondeurs de son subconscient.

L'inconnu était brun. Il avait des traits bien
accusés, des lèvres fortes, des cheveux ras et
abondants. Une belle tête, avec du caractère.
Il avait des yeux pénétrants et magnétiques, de
ces yeux à double vision, pour ainsi dire, qui
semblent regarder à la fois à l'intérieur et à
l'extérieur et qui se nourrissent plus des lumiè-
res du dedans que des apparences du dehors.
C'est avec ces yeux-là qu'il regarda Noémi, et
ce regard appuya si pesamment sur elle qu'elle
en resta interdite et n'eut pas même la force de
baisser la vue. Et lui aussi, sans rien dire, la
considérait fixement, comme cherchant au fond
de lui-même une image ancienne et très chère.
Tous deux, mis en présence, faisaient appel à
leur mémoire, pour se reconnaiître mutuelle-
ment, ne sachant pas que la connaissance qu'ils
avaient l'un de l'autre n'avait pas été prise
dans la réalité courante: elle était née en eux
à l'état de rêve, y avait grandi et avait fini par
noyer tout l'être.

Le peintre, en les présentant l'un à l'autre,
eut-il l'intuition de leur destinée ? Les voyant
ensemble, si beaux, si aptes au bonheur, il leur
dit:

— Noémi Dubreuil et Jean Legoth, vous êtes faits pour aller ensemble dans un tableau... et dans la vie.

Les jeunes gens se sourirent pour la première fois.

(J'en étais là dans ma lecture quand Fernande, qui écoutait en une sorte d'extase, m'interrompit d'une voix à peine perceptible : " Si vous saviez, dit-elle, combien cette minute a compté dans ma vie! " — " Dans votre vie ? " — " Oui, dans la mienne. Vous imaginez bien que Noémi c'est Fernande. Depuis des années, je vis de cet indicible souvenir. Jean était un être si merveilleux ". Elle fit un effort pour tousser, puis me fit signe : " Continuez ".)

Ils se revirent et s'aimèrent. Par les soirs calmes, ils naviguaient dans un beau yacht blanc, qui glissait comme un goéland. Ils s'assoyaient à la poupe, épaule contre épaule. Par moments, Jean stoppait le moteur pour goûter le silence ou pour mieux savourer une chanson sentimentale :

Laisse-moi te parler des amours éternelles,
Toi qui m'as mis au coeur l'indestructible amour !

On se laissait bercer par ces mots, "éternel ", " indestructible ", pour se donner la foi,

la divine illusion de la durée, dans le tourbillon de l'universel changement, au bord de cette eau même, si mouvante, si fuyante, si pareille au sentiment humain. Car seule la vérité incréée demeure. Ils croyaient, ils avaient raison de croire, que leur union se prolongerait au-delà des limites ordinaires, car leurs âmes s'attiraient autant que leur chair, et l'âme ne meurt pas.

Jean voyait son amie depuis un mois qu'il ne l'avait pas encore embrassée. Il avait pour elle une sorte de culte, et il lui avoua plus tard qu'il éprouvait une haute jouissance à comprimer l'élan de son désir.

Une fois qu'on jouait au tennis, Noémi se fit une entorse, et son aimé dut la transporter, dans ses bras, chez le vieux peintre. Elle était suspendue à son cou, et sa face si près de sa bouche qu'il n'y put tenir et chercha ses lèvres. Elle se renversa la tête, comme pour fuir cette caresse, mais elle lui rendit son baiser. C'était le premier, celui que la femme n'oublie jamais.

Le mariage eut lieu en septembre. La mariée était toute en blanc. Quand, après la cérémonie, elle parut au seuil de l'église, mince, longue, diaphane, les yeux graves et profonds, la face noyée dans une gerbe de roses, on eût dit une de ces figures irréelles et lumineuses,

peintes par Gustave Doré pour illustrer le paradis de Dante.

> (" N'est-ce pas qu'il est beau, notre ma-
> riage ? " interrompit Fernande. — Sachant
> désormais qu'elle confondait rêve et réalité,
> je fis " oui " de la tête. En même temps je
> pensais au contraste navrant qui existait en-
> tre le mariage de Fernande Noémi et celui
> de Fernande Dubreuil.)

Les deux jeunes gens avaient d'abord résolu
de s'embarquer, le soir des noces, pour la
France. Après réflexion, ils avaient décidé
d'ajourner ce départ à quinze jours, afin de se
repaître l'un de l'autre dans la solitude. Et ils
avaient choisi, pour commencer leur lune de
miel, un magnifique chalet, en pleine forêt. A
la tombée du jour, ils arrivèrent au bord d'un
lac, dans les Laurentides. Il faisait doux, calme
et clair, comme il arrive souvent en septembre,
dans ce pays. Les montagnes flamboyaient de
cent couleurs.

On entra dans le chalet, où un guide, seul
témoin de ce premier soir, de ce grand soir,
était à préparer le dîner. Toute la nuit, de
grosses bûches pétillèrent joyeusement dans le

foyer de pierre, et la flamme, déchirant l'obscu-
cité douce, éclairait à intervalles deux extases.
Ce furent, dans la suite, des heures et des jours
dont l'intensité de vie et de bonheur ne saurait
être décrite. Pour se distraire, on allait souvent
pagayer sur le lac, dans une légère embarca-
tion d'écorce; on y chantait des airs avec des
mots de Verlaine, oui, le divin Verlaine, le seul
poète, qui, par son imprécision même, correspond exactement à certains états d'âme. Ou
bien on marchait des heures dans des sentiers,
en habit de chasse. Noémi était gentille à voir,
avec ses pantalons bouffants. Jean le lui disait,
et cet hommage à sa sveltesse la grisait davan-
tage.

(Fernande parla de nouveau : " Parfois,
une perdrix s'envolait près d'eux, à grand
bruit d'ailes. A deux milles du chalet, dans
un petit lac, ils virent, un jour, un original
qui portait des bois énormes au-dessus de
l'eau et qui, de ses yeux doux, regardait dans
le vague ". Je jetai les yeux sur le manuscrit et m'aperçus que Fernande avait conti-
nué son texte. Etait-ce le délire ? Elle avait
évidemment des alternatives de divagation
et de lucidité.)

Devant le camp, des écureuils allaient et
venaient. L'un d'eux, d'un beau roux soyeux,

venait chercher des noisettes dans les mains de
Noémi, puis, allant plus loin, s'assoyait sur son
petit derrière et maniait l'amende avec autant
d'adresse et plus de grâce que ne l'eût fait un
enfant. Jean riait aux éclats, et ce rire était
comme l'explosion de toute la jeunesse qui
bouillonnait en lui.

Les jeunes mariés, enivrés l'un de l'autre,
ne sortirent du bois que pour s'embarquer sur
un paquebot en partance pour l'Europe. Durant
la traversée, ils se quittèrent si peu qu'un pro-
fesseur français, qui les abordait parfois, les
taquinait en les appelant: Philémon et Baucis.
Il leur citait ces mots bien connus:

Baucis devint tilleul, Philémon devint chêne.

Le soir du bal, avant l'arrivée sur le vieux
continent, Noémi remarqua que plus d'une jeune femme recherchait son mari. Elle en fut à
la fois jalouse et heureuse. N'était-ce pas naturel qu'on le désirât, lui, le dieu?

Le reste du voyage fut un enchantement.
Paris, Montmartre, les musées, les églises, les
Champs-Elysées... Puis le Midi plein de soleil,
Marseille, Nice, Cannes... L'Italie, Venise,
Rome, Naples,, les promenades dans la campa-
gne romaine... Au souvenir de ces pays par-

courus, la tête de Noémi tournait comme dans
un caroussel fantastique, une féérie.

(Fernande, d'une voix plus faible que
tout à l'heure : "Et lui, Jean, le bien-aimé,
ne se lassait pas d'elle. Quand ils furent de
retour au pays, il se mit au travail. Il écri-
vait un roman d'amour où seul le guidait le
souci de la beauté. Noémi était son inspira-
trice, car tout artiste en a besoin d'une.
Quand il se renfermait dans son cabinet de
travail pour se livrer à la méditation, à cette sorte d'auto-suggestion qui accompagne
tout travail créateur, elle entrait silencieusement, sans se faire entendre, et, avant qu'il
eût pressenti sa présence, elle l'enlaçait et
lui fermait les yeux de ses lèvres. Il la gron-
dait amoureusement d'être venue rompre la
chaîne de sa songerie, puis il la baisait au
front en lui disant : "Tiens ! petit monstre,
pour te punir ! " — Fernande savait évidemment tout le manuscrit par cœur. Elle le récitait faiblement, lentement, en haletant, re-
prenant son souffle à chaque mot. Comme
elle terminait, Eudore entra et vint dans la
porte de la chambre : "Comment ça va ? "
demanda-t-il. Elle répondit : "C'est toi,
Jean ? " Et je regardai avec stupéfaction
cette brute d'homme qui s'éloignait en titubant. Il était ivre. Il grommela : "Quand
elle divague, elle m'appelle toujours Jean. ")

Ils vécurent ainsi trois ans. Pas une ombre
à leur bonheur. Quelques jours seulement, la

jalousie, ennemie traditionnelle des couples
unis, vint troubler la sérénité de Noémi. Une
jeune femme de ses amies venait parfois la
visiter. Elle était aussi fort belle. . .

> (Plus vite, lisez plus vite ! Voulez-vous ?
> dit Fernande. Allez tout de suite au dénoue-
> ment. Je veux entendre la fin." Et je lus les
> les dernières pages).

Jean avait oeuvré, sculpté son âme, si on
peut dire, pour faire d'elle un être sans pareil.
L'amour rend si réceptives les âmes d'élite !
Elle avait absorbé toute la richesse spirituelle
de son Jean : ses goûts, ses manières, sa pensée,
son art, sa conception de la beauté. L'esprit de
cet homme lui faisait l'effet d'un radium qui
l'aurait pénétrée toute.

Par contre, Noémi faisait communier Jean
à sa bonté et à sa charité. Sa nature exquise se
répandait en lui comme certains parfums insi-
nuants et délicats, qui imprègnent tout ce qui
les entoure. C'est ainsi que Jean avait pris
d'elle un peu de sa foi, de son mysticisme. Au
début du mariage, elle ne s'était pas étonnée de
son scepticisme, mais, peu à peu, elle l'avait
entraîné à aimer un idéal plus haut que le
monde. Elle le fit entrer une fois, deux fois,
dans une petite église qui sentait l'encens et le

cierge brûlé. Il finit par aimer la douceur des sanctuaires.

Souvent, elle l'emmenait visiter des taudis, où souffraient des familles sordides. Dans l'ignoble saleté des lieux, la senteur nauséabonde, la dégradation physique et morale des gens, elle l'habituait au sentiment de la pitié, la pitié rédemptrice. Ils se faisaient pardonner l'insolence de leur bonheur par le soulagement de la détresse humaine.

Un jour qu'ils se trouvaient seuls dans l'église, à genoux, abîmés dans une songerie, Noémi vit une belle dame qui lui souriait. Elle reconnut la fée de l'île, et lui demanda ce qu'elle voulait.

— Ma promesse s'accomplira, dit la fée. Vous vous aimerez jusqu'à la mort.

— La mort? Je voudrais qu'elle ne vienne jamais!

— Souviens-toi que la vie qui dure finit par creuser des abîmes entre ceux qui s'adorent.

La belle dame disparut. Noémi dit à son mari:

— Jean, la fée m'est apparue. J'ai peur...

— Peur de quoi, petite Noémi? Tu crois aux fantômes? Est-ce un héritage de l'île aux sorciers?

La jeune femme ne répondit pas. Elle ne voulait pas dire ce qu'elle craignait, de peur de

contrister l'aimé. Tout le reste de la journée,
elle garda le silence.

Le lendemain, elle proposa:

— Veux-tu que nous allions à ce chalet où
nous avons commencé notre lune de miel?

Il accueillit le projet avec enthousiasme. Il
faisait très chaud, et l'idée d'aller se rafraîchir
au bord d'un lac, parmi les grands arbres, souriait à son corps comme à son esprit.

Deux heures plus tard, ils entraient dans le
chalet. Ils vêtirent des costumes de sport et
s'engagèrent dans un sentier qui conduisait à
un lac voisin. Ce fut comme un pèlerinage au
sauvenir.

L'horizon s'assombrissait. Au loin, un loup
hurla en réponse à l'ululement d'un hibou.
Bientôt le tonnerre éclata, suivi d'un autre
coup, puis d'un troisième. De larges gouttes
d'eau se mirent à tomber. Les deux époux
s'abritèrent sous un arbre, regardant zigzaguer
les éclairs sur les eaux du lac, devenues noires.

— N'est-ce pas que c'est beau? disait Jean.
On dirait que le ciel porte une immense armée
d'artilleurs dont les canons crachent du feu
derrière un mur de fumée. Les peintres n'ont
jamais pu rendre ce spectacle plus puissant que
la guerre des hommes... Les musiciens nous
l'ont mieux fait sentir...

— J'ai peur, Jean!... Regarde! Le visage
de la fée dans un nuage, à la lueur d'un éclair.

Comme elle parlait, une colonne de feu
descendit sur l'arbre qui abritait les deux
amants.

Le soir, ils ne rentrèrent pas. Le gardien
du chalet, après plusieurs cris restés sans réponse, alla à leur recherche.

Tout près du deuxième lac, au nord, il les
trouva adossés à un arbre, pétrifiés, la tête de
Noémi reposant sur la poitrine de Jean.

C'est dans cette pose ultime que les a peints,
pour des siècles à venir, le vieux peintre de l'île
d'Orléans.

*

*   *

Le manuscrit s'arrêtait là. Je m'étais tu et
Fernande ne donnait pas signe de vie. Je la
regardai. Elle était dans le coma. Je l'appelai:

— Fernande! Fernande!

Elle tendit les bras comme pour saisir quelqu'un, fut secouée d'un long frisson, et s'écria,
d'une voix qu'on a dans l'amour ou dans la
mort:

— Jean! Jean! Jean!

Sa tête retomba sur l'oreiller. Fernande
était morte. Morte sous le coup d'un bonheur... d'un désir qui ne l'avait jamais quittée.

— La vie en rêve! reprit Lalande, après un long silence, oui, la vie en rêve n'est pas moins réelle que l'autre.

LA MORT DE L'ÉLAN

*A Archie Grey Owl
et à sa femme, Anahareo.*

Ce vieil orignal était le patriarche de sa tribu. Intelligent, brave et rusé, il évitait depuis douze ans le feu meurtrier des hommes et, chaque automne, il sortait victorieux des combats que lui livraient d'autres mâles pour les conquêtes de l'amour. Il fallait le voir, dans les sentiers de la forêt, alors que son pas pesant faisait trembler la colline voisine. La seule vue de son large sabot inspirait à ses rivaux une crainte respectueuse. Il longeait les bords des lacs, et quand les moustiques le harcelaient il s'enfonçait dans l'eau jusqu'au poitrail. Son panache à treize branches faisait, sur la surface ridée, une ombre large comme celle des arbres.

Il n'avait peur de rien. Il passait à côté des ours noirs, la tête haute, avec un air de défi, et les fauves n'osaient s'approcher de lui, par peur de son pied, meurtrier comme une massue de pierre. Toutes les bêtes l'admiraient pour sa noble attitude, son grand âge, sa sagesse et sa vénérable barbe. Son calme, sa sérénité le fai-

saient préférer au cerf, que le lièvre trouvait
trop nerveux, trop sautillant, trop léger.

Voici qu'une nuit, on entendit, venant du
nord, un bruit étrange : "Hou ! hou ! hou !" De
minute en minute, le bruit se répétait et se rap-
prochait. Les cerfs se regardèrent avec stupeur : " C'est une invasion des barbares ", di-
rent-ils en tremblant. Et le vieil orignal, qui
avait gagné tant de duels avec ses semblables,
pressentit, pour la première fois, le malheur.
Les "barbares", c'étaient les loups.

Ces bêtes cruelles et faméliques, chassées de
l'Arctique par la famine, descendaient dans nos
montagnes fertiles en gibier, comme les Huns
avaient envahi les belles campagnes romaines
dans l'espoir d'un riche butin. Le patriarche
des élans avait été témoin, dans sa jeunesse,
d'une invasion de ce genre. Il y avait perdu son
père, sa mère, ses frères et ses soeurs, tous dé-
vorés par ces buveurs de sang et mangeurs de
chair. Pendant des jours, il s'en souvenait, son
père avait échappé à leurs dents, mais, à la fin,
affamé et morfondu, il avait succombé. Le spectacle l'avait horrifié : la curée ! Les grandes veines brisées, le sang jaillissant, la peau déchirée,
les entrailles répandues...

Toute la nuit, les loups hurlèrent. Un peu
avant l'aube, ils étaient si près qu'on entendait
craquer les feuilles sèches sous leurs pas. Le

vieil élan n'en avait pas dormi : il ne voulait pas
être surpris dans le sommeil. Enfin, le soleil
se leva et les bruits sinistres se turent. La lumière chassa le cauchemar. Qu'elle était douce
et bienvenue la clarté du jour ! Elle vint sans
bruit, sans heurt, caressa le flanc de l'orignal
alluma des reflets roses sur ses bois, posa sur
chaque buisson ses plaques d'argent, tira des
bas-fonds une buée parfumée d'une odeur de
terre humide, fit étinceler chaque goutte de ro-
sée à la pointe des herbes sucrées. La bête sentit
comme une délivrance ; elle descendit vers le lac
et se plongea dans l'eau, pour chasser la fièvre
de la nuit, puis elle entra sous bois et marcha
longtemps.

Pas de trace de loups de toute la journée.
L'orignal crut, un moment, que les ennemis de
l'herbivore étaient disparus. Peut-être aussi
avait-il été victime d'une illusion. Mais, le soir
venu, les hurlements recommencèrent. L'ennemi était à deux pas. Il était toujours invisible
et, pourtant, on l'entendait haleter. Le colosse
sentait sa présence à gauche, à droite, en avant,
en arrière. Il se rendit compte qu'on l'avait suivi mystérieusement depuis le matin. Les loups,
le jugeant encore trop fort pour l'attaquer en
pleine lumière, avaient attendu l'obscurité pour
le poursuivre. Il en est des loups comme de bien
des hommes : ils n'attaquent qu'à coup sûr et

dans l'ombre. Alors, le patriarche résolut d'aller plus loin, là-haut, vers une montagne où se tenait, pensait-il, un troupeau de sa race. A peine avait-il fait quelques pas dans le sentier, qu'il vit quatre paire d'yeux luire dans le noir. Il rebroussa chemin, il en vit autant de l'autre côté. Que faire ? Peut-être ses longues jambes lui permettraient-elles de distancer les assaillants. Il prit une course folle à travers bois. C'était comme un ouragan, un cyclone, dans les branches déchiquetées qui se tordaient et claquaient sur son passage. Les lièvres dévalaient devant lui, et les perdrix, qu'il dérangeait dans leur sommeil, s'envolaient avec bruit; les renards en maraude le regardaient avec des yeux ironiques.

Enfin, essoufflé, rendu, il s'arrêta et prêta l'oreille. Tout était silence. Je les ai dépistés, pensait-il; et il s'allongea pour dormir. A peine était-il couché, qu'il entendit, à quelque pas, un froissement de feuilles, puis un hurlement auquel répondirent, loin en arrière, d'autres hurlements, "hou ! hou !" et, comme un écho affaibli, dans le lointain tragique, "hou ! hou !" Il se releva pour avancer de nouveau. Cinq loups au moins l'attendaient. Il lui fallut retourner et refaire le trajet qu'il venait de parcourir au galop. Tout son corps était moite, et ses jambes aux jarrets si puissants, qui ne lui avaient ja-

mais manqué, flageollaient sous lui. Déjà, l'af-
folement lui enlevait la moitié de sa vigueur.

Il marcha ainsi toute la nuit, serré de plus
en plus près par cette troupe maudite qui semblait mesurer d'instinct l'affaiblissement gra-
duel de la bête traquée. Il avait sommeil, faim
et soif. Comme il souhaitait la venue du jour!
L'aube! l'aube ! Le pâle rayon viendrait-il enfin
chasser ces démons! Alors, il pourrait s'étendre
de tout son long pour dormir, après avoir brou-
té en paix des racines sauvages.

Les loups se consultèrent. Eux aussi pré-
voyaient le jour. Ils convinrent de se relayer à
intervalles dans leur course, afin de permettre
aux poursuivants de se reposer et de garder
assez de force pour l'assaut suprême. Ils fe-
raient en sorte d'obliger le colosse à tourner
dans le même cercle. De distance en distance,
un loup se tiendrait au guet et, au passage de
l'élan prendrait la place de l'autre loup, qui
dormirait en attendant l'appel des camarades.

Le soleil parut. L'orignal se trouvait dans
un bas-fonds riche en herbages. Tout près,
brillait un lac sur lequel des "huards" au col
blanc lançaient un cri lugubre, cri tremblotant
et liquide qu'on dirait composé de flots de larmes. Il baissa vers la terre son long panache,
pour prendre quelques bonnes gueulées de nourriture. A peine avait-il ouvert les mâchoires,

qu'un loup surgissait devant lui et faisait mine
de lui sauter à la gorge. Il était écrit qu'on ne
le laisserait pas manger, afin d'affaiblir sa résistance. Il s'éloigna, pénétra dans un épais
fourré et, là, se croyant caché à tous les yeux,
il se coucha. Ses flancs avaient à peine touché
le sol, qu'il sentait aux jarrets une morsure
cruelle et entendait à côté de lui un bondisse-
ment!

Une idée lui vint. Le lac près duquel il se
trouvait était très long; il le traverserait à la
nage. Les loups ne pourraient le suivre, cette
fois. Et l'élan entra dans l'eau. On ne vit guère
plus que sa tête énorme qui glissait avec ses
deux bois magnifiques au-dessus du flot. On
eût dit un oiseau monstrueux rasant l'eau,
ailes déployées. Malgré son affaiblissement, il
se hâtait, tant son désir était grand de se délivrer de l'angoisse.

Il arriva exténué à l'autre bord. Il lui sembla que ses jambes suffisaient à peine à le
porter. Il marcha néanmoins à grands pas vers
une touffe de hautes herbes, au milieu desquel-
les il se laissa choir. Il fermait les yeux, quand
surgit encore d'un buisson voisin la formidable
bête, crocs découverts. Stupéfié, il ne bougea
pas tout de suite, essayant simplement de tenir
les yeux ouverts. Mais le loup hurla: "hou !
hou ! hou !" D'autres cris semblables retenti-

rent au loin. Des loups viendraient en plus
grand nombre; ils avaient contourné le lac en
vitesse.

Dans l'immensité de la forêt, l'orignal était
comme entre les quatre murs d'une prison. Il
comprit confusément qu'il n'en sortirait jamais.
Son cerveau ténébreux ne lui fournissait plus
que des images inconsistantes. Il se laissa désormais aller à l'automatisme de l'instinct. La
faim l'emportait sur le sentiment du danger. Il
se mit résolument à manger. Ses énormes
dents coupaient l'herbe avec un bruit sourd, et
les loups, qui l'entendirent, se montrèrent à ses
yeux vagues et se mirent à gronder. Il n'y fit
pas attention et brouta avidement. Qu'elles
étaient bonnes les tiges pleines de suc qui ré-
pandaient leur jus dans sa gueule ! Elles ne lui
avaient jamais paru si réconfortantes.

Ce ne fut pas long. Un loup, plus grand que
tous les autres, bondit derrière lui et le mordit
à la cuisse. Le sang gicla. Réveillé tout à coup
de sa demi-léthargie, l'orignal se retourna vivement et voulut asséner à l'assaillant un coup
de sabot. Le carnassier avait disparu avec la
vitesse de l'éclair. Comment atteindre de tels
ennemis, qui ont la rapidité du vent, la sou-
plesse du chat et la ruse du renard ?

Et la fuite recommença comme la veille,
fuite lente, harassante, presque inconsciente.

Le vieil élan n'avait plus aucune pensée. Ses sens mêmes ne percevaient les choses que dans un brouillard fantastique. Il allait dans une féérie, et on aurait pu répéter pour lui ce vers des *Châtiments* :

C'était un rêve errant dans la brume, un mystère...

Mille images, tantôt joyeuses, tantôt horribles, tournoyaient dans sa tête... Un flanc de montagne couvert de grands arbres, sur lesquels d'autres élans aiguisent leurs bois en vue des batailles de la saison du rut... Un matin, au bord d'un lac, un compagnon qui s'abat, après un coup de feu, dans une mare de sang... Un souvenir très lointain d'une incursion à travers une plaine nue, la rencontre de chevaux, de troupeaux de vaches, la vue des maisons, des granges, le jappement des chiens, l'apparition soudaine d'un chasseur et la fuite éperdue... Un "ravage" d'hiver dans l'épaisseur des sapins, de la neige par-dessus les épaules, la famine, la faim... La fonte des neiges, le ruissellement universel, les torrents bondissant du haut des rochers, les premières herbes, les festins parmi les fleurs de marécages...

Tous ces souvenirs élémentaires remontaient en lui à la fois. Et il poursuivait le songe comme dans un délire. Les loups, il n'y pensait

plus. Il était las d'y penser, il ne pouvait plus. . .
Ils le suivaient toujours. Sachant bien que leur
poursuite tirait à sa fin, ils ne se hâtaient pas.
Ils se contentaient de flairer l'odeur de sa chair,
de sa sueur, et ils se pourléchaient d'avance les
babines. La langue sortie, la tête basse, ils
trottinaient en zig-zag. La faim les tenaillait,
eux aussi, et leur désir les obsédait.

Le soir vient. Dans un brûlé, une ombre
gigantesque s'avance en titubant. Puis elle s'arrête aux dernières lueurs du jour. Sur le ciel
mauve se découpent les deux bois, la croupe
ronde et forte, les longues pattes de l'élan. Doucement, par degrés, le grand panache s'abaisse.
On le dirait trop lourd. Plus rien ne le retient,
et il suit la loi de la pesanteur. Puis, c'est la masse entière de l'animal qui s'abat sur le sol. Le
patriarche a perdu conscience de tout. Une seule image, suscitée par la faim : un champ de nénuphars sur l'eau, des racines douces et tendres,
parmi les fleurs, un parfum de végétation, une
boustifaille énorme.

Et pendant que sa vision s'alimente de son
dernier désir, de sa dernière souffrance, les cris
sinistres retentissent. "Hou ! Hou ! Hou !"
On dirait qu'il y a des milliers de carnassiers
conviés au festin : "Hou ! Hou ! Hou !" Dans
toute la forêt, c'est une rumeur sensuelle et

meurtrière. Le goût du sang qui se répand
d'arbre en arbre, de branche en branche.

Ils sont vingt autour de la proie. Le chef
de file s'avance, d'abord prudemment, flaire de
loin, observe, et, enfin, d'un bond, se jette à la
gorge de l'élan. Une grande veine est crevée.
Le sang gicle en un jet gros comme le bras. Un
dernier frisson secoue la victime, dont les pattes fauchent la terre.

Et c'est la curée. Des lambeaux de peau
déchirée traînent sur le sol, des morceaux de
chair palpitante pendent au bord de la gueule
des fauves. Un loup s'éloigne en déroulant le
long boyau du ventre ouvert.

FIN

DOSSIER

« TU SERAS UN ÉCRIVAIN »...

par Jean-Charles HARVEY

On me demande parfois pourquoi j'ai tant écrit, quel idéal je poursuivais. La réponse à cette question n'est pas aisée.

Dans quel but écrit-on des romans? Cela dépend des auteurs. Les uns visent à certaines réformes sociales; d'autres cherchent à placer dans une fiction concrète les sèches données de l'histoire; d'autres enfin y exercent une sorte d'apostolat en fustigeant le mal dans l'homme. Presque tout ce monde-là fait fausse route. Sauf exception, la littérature engagée ne produit que de détestables romans.

Moi-même, au début de ma carrière, j'avais le tort de croire que le romancier est appelé à remplir une mission de salut. Mon premier roman proposait une réforme sociale et économique et s'adressait presque exclusivement aux Canadiens français; mon second satirisait les travers et les vices des petits bourgeois du Québec ainsi que les inepties de notre éducation; le troisième portait sur un thème universel, mais ressemblait en maints endroits, plutôt à un plaidoyer qu'à un récit.

Dans les autres volumes dont je suis l'auteur, excepté dans mes contes et nouvelles, j'ai plutôt fait oeuvre de polémiste, car je n'ai cessé de combattre pour la libération de l'art et de l'artiste. Là, semble-t-il, résidait mon idéal d'écrivain.

Maintenant que la bataille semble gagnée et que j'approche du terme final, je me prends à regretter d'avoir dû consacrer tant d'énergie et de temps à l'interminable bataille pour les libertés spirituelles sans lesquelles aucune littérature n'est possible.

J'aurais préféré écrire paisiblement, profondément, de belles histoires bien humaines, livrer au monde tout ce que mon être contient d'humanité, m'y donner avec toute mon imagination et ma sensibilité, mes joies et mes larmes, mes vertus et mes vices. Alors peut-être aurais-je créé ce grand livre que mon pays attend encore.

Que si vous me demandez maintenant comment un homme en vient à la décision d'embrasser la carrière d'écrivain, je vous répondrai que je l'ignore. Laissez-moi cependant vous confier que deux personnages que j'ai beaucoup aimés ont probablement déterminé ma vocation: l'un était ma mère, l'autre était Ignace de Loyola. Ma mère, femme d'une vive intelligence et d'une rare indépendance d'esprit, fut mon seul guide jusqu'à ma treizième année. Elle me disait souvent, lorsqu'elle m'apprenait mon a b c : « *Tu seras un écrivain.* » Je m'en suis souvenu.

Quant aux fils d'Ignace de Loyola, ils m'ont donné le goût des beaux écrits et m'ont appris à penser.

Extrait d'un texte tiré du document Archives des lettres canadiennes, « Le roman canadien-français », Montréal, Fides, 1977 (p. 314 et 315).

EXTRAITS DE LA CRITIQUE

Depuis l'aventure des *Demi-civilisés*, on se disait comme ça — qu'est-ce que nous réserve Harvey? Et voilà que nous arrive *Sébastien Pierre* suivi des *Sauvages*, de *Fernande et Noémi* et de *La mort de l'élan*. (...) Ce livre est peut-être le plus beau qu'ait écrit Harvey. L'invention plus riche que dans *Les demi-civilisés*, nous donne les tiraillements d'une âme qu'aimerait Georges Bernanos. Le conflit, le dédoublement bien amené laisse loin derrière le noeud des *Demi-civilisés*. Trop pamphlet pour faire un bon roman et trop roman pour faire un bon pamphlet, ce libelle diffamatoire de la morale chrétienne avait surtout un intérêt du moment. Au contraire, *Sébastien Pierre* apparaît comme une belle histoire d'une âme d'homme qui chavire devant sa destinée.

Et puis il y a le style. Le style, c'est la grande chose d'Harvey. Rythmé comme une musique, il possède en plus des reflets de chair paresseuse. Et toujours cette douceur extrême des vocables qui cache le goût des inventions cruelles. Moins laqué et plus réaliste que celui des contes de *L'homme qui va*... le style de *Sébastien Pierre* n'en possède pas moins des images belles et ciselées comme de grands bijoux.

Jean-Louis Gagnon
Vivre, 26 avril 1935

Sébastien, n'est qu'un enfant d'école, un de ces bons garçons, élevés en serre chaude. Une fois dehors, il culbute au premier courant d'air et dégringole en vitesse...

Ça n'est pas malin comme caractère. C'est pauvre, très pauvre comme psychologie, comme étude des sentiments humains. Sébastien ne sait pas lutter, combattre, encore moins vaincre, ne serait-ce qu'une fois. Caractère flasque et mou, le malheureux trébuche au premier obstacle et ne se relève plus. Il fait vraiment pitié. Ce n'est pas un héros, ce n'est pas un homme, c'est un amorphe inconscient, puisque sa conscience ne lui parle jamais plus. L'auteur a préféré le tragique des événements, le drame des situations, à l'étude approfondie et intime de l'âme humaine qui marque une œuvre pour toujours. Sorte de roman policier; ne dites pas non avant d'avoir lu. Roman de mœurs? Jamais. Vices et fatalisme, affaire de correctionnelle.

C'est ici que les chiffres se sont joués de l'auteur. Comment en 120 pages mettre en valeur un pareil sujet? Mais j'entends bien: on a voulu écrire une nouvelle et non pas construire un roman. On ajoutera sans doute que la mode est aux nouvelles. Dans ce cas, nous n'avons plus rien à dire, si M. Harvey veut bien se contenter d'un succès de mode, auquel il a droit et que personne ne lui contestera. Ça durera ce que durera la mode.

Camille Bertrand
Le Devoir, 27 avril 1935

La mort de l'élan est un beau morceau de prose, que Mgr Camille Roy tiendra à mettre dans ses anthologies.

L'auteur a évidemment visé à se faire lire en France: il a mis au bas des pages des notes explicatives qui ne sauraient intéresser que le lecteur français, et c'est pour la même raison qu'il écrit *élan* au lieu d'*orignal*. On se dira là-bas, en le lisant, qu'il y a des Canadiens qui savent écrire, et particulièrement en lisant *Sébastien Pierre*, qu'il y en a maintenant qui savent romancer une histoire, car cette histoire est si vraisemblable qu'elle aurait pu être vécue.

Olivar Asselin
L'Ordre, 10 mai 1935

Sébastien Pierre est une nouvelle d'un intérêt prenant, et qui pose bien des questions. On se demandera si le personnage est vraisemblable. Malgré son caractère exceptionnel, il faut convenir qu'il correspond à un type psychologique pris dans la vie. S'il est d'une réalité inusitée, il reste dans la vérité humaine. Le sujet était délicat: Harvey l'a traité avec

respect. Si le livre ne peut être mis entre les mains des jeunes
filles qui en sont à Guy Chantepleure (au fait, les jeunes filles
lisent-elles encore ce triste romancier?), il ne peut scanda-
liser les gens un peu mûris.

> Pierre Daviault
> *Le Droit*, Ottawa, 31 mai 1935

On a dit comment Harvey excelle à peindre les impressions du mal dans les âmes de jeunes hommes. Il sait animer
les débats et les conflits intimes. Il s'y connaît dans l'art de
flatter l'âme. De ce côté tout est bien et bien peu, parmi nos
écrivains, approchent sa maîtrise psychologique.

Mais je me permets de lui faire une observation. À mon
avis il n'écrit pas comme il pense. Il est clair, il est vrai, mais
sans atteindre à la simplicité. Il use trop volontiers d'inci-
dentes qui alourdissent son style. Il y a aussi quelque chose
dans ce style qui rappelle le fait divers avec classement moral.
Ça manque souvent de chaleur, malgré que les drames débat-
tus aient une intensité maladive. Cela tient à des contours
trop définis, à des arêtes trop dures.

> Clément Marchand
> *Le Bien public*, Trois-Rivières,
> 2 décembre 1935

Tant qu'il s'agit de rendre la couleur du passé, l'art de
M. Harvey se montre fidèle et sûr, mais sitôt que l'action
s'engage, que le mouvement doit l'emporter, tout se brouille,
devient artificiel et il arrive même que l'on tombe dans le
pire « gangstérisme » américain.

(...)

Nous avons eu l'occasion, ici même, de signaler que la
cause de l'infériorité littéraire des Canadiens français ne
devait pas être recherchée dans une inaptitude aux créations
de l'esprit, mais dans l'insuffisance de la formation intellec-
tuelle qui leur est donnée dans les collèges classiques sous
le monopole du clergé. Soyons justes. On ne saurait exagérer

le mérite des religieux canadiens qui, en des heures difficiles, ont assumé la mission d'instruire la jeunesse. Ils ont alors permis la survivance du groupe français en Amérique. Mais les conditions, depuis, ont bien changé. Faute d'avoir formé un corps professoral comparable à celui des grands pays, le clergé canadien, sans se rendre compte, sans que son dévouement soit en cause, a laissé dégénérer l'enseignement en un verbalisme, plus propre au développement de la mémoire qu'à la formation sérieuse de l'esprit.

C'est ce que lui reproche l'élite des laïques soucieux de l'avenir intellectuel des Canadiens français, ou de leur avenir tout court.

> Pierre Dupuy
> *Le Canada*, 24 février 1936
> (reproduit du *Mercure de France*)

Le peintre, vigoureux, se double d'un poète qui excelle à exprimer le charme sauvage de la forêt. Il se révèle un psychologue d'une grande finesse, habile, par exemple, à analyser l'instinct de l'animal dans *La mort de l'élan* et à interpréter avec une justesse et un doigté admirables (...) La critique a déjà classé, avec raison, *La mort de l'élan* parmi les chefs-d'oeuvre de la narration vraie, souple et naturelle.

> Abbé Albert Dandurand
> *Le roman canadien-français*,
> Montréal, Éditions
> Albert Lévesque, 1937

Harvey n'apporte aucune idée révolutionnaire, mais on flaire dans ses livres comme une odeur de révolte. Il n'invente pas de libertés, mais il est conduit par le goût de la liberté. Par-dessus tout, Jean-Charles Harvey introduit dans le roman canadien-français, qui s'en était jusqu'à lui pieusement gardé, une passion dévastatrice qui brouille les jeux, ne laisse rien en place, projette en plein jour les rêves les plus troubles et les plus naïfs, les imaginations les plus aberrantes. Voici, dans toute une série de personnages, les rêves de puissance nés de l'humiliation: Marcel Faure, qui bâtit comme en se jouant la « cité idéale », et libère les Canadiens français de l'asservissement économique; dans *L'homme qui va* (1929), le savant qui a vaincu la mort; en *Sébastien Pierre* (1935), le petit saint québécois qui n'a qu'à le vouloir pour devenir le gangster le plus redouté d'Amérique; dans *Les demi-civilisés*, *Max Hubert* qui pourfend superbement les bien-pensants, et trouve tout naturel de s'entendre déclarer: « Tu es mon dieu » par la fille qu'il vient d'arracher au couvent. Et voici encore, inextricablement mêlés, les rêves de luxure et de vertu, la femme idéale et la femme-péché, l'orgie et le ciel bleu... On pense à quelque cyclope, se frayant bruyamment un chemin vers un but vaguement entrevu, une lumière confuse.

Gilles Marcotte
Une littérature qui se fait,
Montréal HMH,
collection Constantes, 1962

On s'aperçoit vite que ses animaux sont meilleurs que les êtres humains, exception faite de la mère de Sébastien Pierre. Les bêtes d'Harvey sont nobles. Leur vie a un sens précis. Celle des humains en a moins ou, quelquefois, n'en a aucun. C'est le cas de Sébastien Pierre. Cette analogie entre deux mondes toujours en présence et qui s'opposent au cours des diverses intrigues, le monde « intelligent » et le monde « instinctif » ou « animal », établit deux pôles, le pôle spirituel et le pôle charnel. Son exploitation met aux prises les forces de Dieu contre celles de l'homme et les forces de la nature contre celles de l'animal. Elle illustre la philosophie de l'auteur et indique l'importance qu'il faut attacher à « Sébastien Pierre ».

M.-A. Gagnon
*Jean-Charles Harvey, précurseur
de la révolution tranquille,*
Montréal, Beauchemin, 1970

Les critiques reprochèrent deux choses à Harvey: de trop faire sentir à ses lecteurs à quel point il aimait la femme et surtout, de s'attaquer au système d'éducation québécois. Pourtant, aujourd'hui, ce qui rend touchante la lecture des oeuvres de Jean-Charles Harvey, c'est précisément la présence des femmes en chair et en os, qui respirent, qui aiment et qui sentent bon. On voulait bien accepter la volupté de Baudelaire (et les effluves de Victor Hugo) ainsi que la présence de Louise Colet dans le lit de tous les grands écrivains mais il n'était pas permis en 1934, à un romancier de Québec de faire aimer une femme. Aimer, ce qui s'appelle aimer, avec la volupté animale d'un corps heureux.

Jean Éthier-Blais
Le Devoir, 23 mai 1970

OEUVRES DE JEAN-CHARLES HARVEY

ROMANS

Marcel Faure (roman), Montmagny, Éditions Marquis, 1922.

L'homme qui va (nouvelle), Québec, Le Soleil, 1929.

Les demi-civilisés (roman), Montréal, Éditions du Totem, 1934; Éditions de l'Homme, 1962; Éditions Actuelle 1970; collection Québec 10/10, no 51. Traduction anglaise: *Sackcloth for Banner*, Toronto, MacMillan, 1938.

Sébastien Pierre (nouvelles), Lévis, Éditions du Quotidien, 1935.

Le paradis de sable (roman), Québec, Institut littéraire de Québec, 1953.

Des bois... des champs... des bêtes... (nouvelles), Éditions de l'Homme, 1965.

POÉSIE

La fille du silence, Montréal, Éd. d'Orphée, 1958.

ESSAIS

Pages de critique, Québec, Le Soleil, 1929.

Jeunesse, Lévis, Éd. du Quotidien, 1935.

Art et combat, Montréal, Éd. de l'A.C.-F., 1937.

Les grenouilles demandent un roi, Montréal, Éd. du Jour, 1943.

Pourquoi je suis anti-séparaliste, Montréal, Éd. de l'Homme, 1962.

ÉTUDES SUR L'OEUVRE DE
JEAN-CHARLES HARVEY

Guildo Rousseau, *Jean-Charles Harvey et son oeuvre romanesque*, Montréal, Centre éducatif et culturel, 1969.

Marcel-Aimé Gagnon, *Jean-Charles Harvey, précurseur de la révolution tranquille*, Montréal, Beauchemin, 1970.

Paul Chamberland, *M. Jean-Charles Harvey, une 'mystique de la race'*. In *Parti-Pris*, vol. 1, no 6, mars 1964, p. 31-36.

Luc Dufresne, « *Québec chez Harvey et Lemelin* », in *Parti-Pris*, vol. 2, no 9, mai 1965, p. 31-36.

Victor Teboul, *Le Jour. Émergence du libéralisme moderne au Québec*, Ville LaSalle, Hurtubise HMH, 1984.

TABLE DES MATIÈRES

TABLE DES GRAVURES

Québec 10/10

Roch CARRIER
La trilogie de l'âge sombre:
1. La guerre, yes sir ! (33)
2. Floralie, où es-tu ? (34)
3. Il est par là, le soleil (35)
La céleste bicyclette (82)
La dame qui avait des chaînes aux chevilles (76)
Le deux millième étage (62)
Les enfants du bonhomme dans la lune (63)
Il n'y a pas de pays sans grand-père (16)
Le jardin des délices (70)
Jolis deuils (56)

Pierre CHÂTILLON
La mort rousse (65)

Marcel DUBÉ
Un simple soldat (47)

Gratien GÉLINAS
Bousille et les justes (49)
Tit-Coq (48)

Claude-Henri GRIGNON
Un homme et son péché (1)

Lionel GROULX
La confédération canadienne (9)
Lendemains de conquête (2)
Notre maître le passé, *trois volumes* (3,4,5)

Jean-Charles HARVEY
Les demi-civilisés (51)
Sébastien Pierre (78)

Claude JASMIN
Délivrez-nous du mal (19)
Éthel et le terroriste (57)
La petite patrie (60)

Albert LABERGE
La scouine (45)

Achevé   Imprimerie
d'imprimer   Gagné Ltée
au Canada   Louiseville